MENSILI D'ARTE

LA PITTURA AMERICANA
DEL DOPOGUERRA

DI
SAM HUNTER

FRATELLI FABBRI EDITORI

PROPRIETÀ LETTERARIA E ARTISTICA RISERVATA
© sulla collana 1967 by Fratelli Fabbri Editori, Milano
© 1970 by Fratelli Fabbri Editori, Milano

Stampa: Fratelli Fabbri Editori, Milano
Printed in Italy
Diffusione: Fratelli Fabbri Editori

L'espressionismo astratto, o, come lo definì con un suggestivo epiteto coniato nel 1951, Harold Rosenberg, la « pittura d'azione », fu quel movimento artistico che per primo portò alla ribalta internazionale gli artisti americani, per cui venne loro tributato un riconoscimento generale. Questi termini descrittivi raggruppano, in senso lato, un certo numero di artisti che si prefiggevano scopi comuni e che emersero nel periodo immediatamente successivo alla fine della seconda guerra mondiale quando sembrava che nella Scuola di Parigi vi fosse carenza di idee nuove e le capacità artistiche si sarebbero dette moribonde. Il declino del ritmo delle innovazioni in Europa durante gli anni 1940, eccezion fatta forse per Dubuffet e Giacometti, e gli avvenimenti catastrofici verificatisi sul vecchio continente, ebbero l'effetto paradossale di sprigionare nuove energie tra i giovani artisti americani. Ad un certo momento, infatti, sembrò quasi che l'impulso del modernismo fosse espatriato e costretto ad un'esistenza clandestina negli Stati Uniti, perché nei suoi complessi esordi la giovane avanguardia degli artisti americani aveva attinto, durante gli anni della guerra, forza ed ispirazione dalla presenza di un certo numero di artisti europei tra i più quotati. Tra questi figuravano Léger, Tanguy, Mondrian, Ernst e Matta i quali ebbero stretti rapporti con i più giovani su cui esercitarono un forte influsso, colmando così quella lacuna tra questi e il modernismo europeo che, a lungo andare, avrebbe potuto intimorirli. Alcuni di questi artisti europei esposero le loro opere nella galleria di Peggy Guggenheim « Art of this Century » e fu qui che i pionieri della pittura espressionista americana astratta, Pollock, Rothko, Still, Hofmann, Motherwell e Baziotes, tennero le loro personali tra il 1943 e 1946.

La mostra personale di Jackson Pollock del 1943 iniziò la serie di queste mostre d'avanguardia e, considerata retrospettivamente, assume il carattere di un manifesto pubblicitario di un nuovo aspetto dell'arte americana. Pollock fu, per un certo tempo, erroneamente identificato con le produzioni artistiche dei surrealisti europei esposte nella galleria Guggenheim, e le sue pitture del primo periodo, piuttosto limitate e violente, rivelano difatti ovvia attinenza all'automatismo e al simbolismo surrealista. In quello stesso periodo anche Robert Motherwell stava saggiando la pittura 'automatica' mentre Arshile Gorky lavorava sotto l'influsso diretto di Matta e del Surrealismo astratto di Miró. Baziotes, Rothko, Gottlieb, Still e Newman stavano esplorando le forme dell'arte arcaica e primitiva e si volgevano al mito in cerca di nuovi soggetti. La loro originalità risiedeva nella veemenza con la quale veniva sottolineato il contenuto simbolico, non in ragione delle associazioni storiche o nostalgiche, ma come mezzo per collegare le scoperte inconsapevoli della mente all'atto creativo stesso. Ci volle del tempo, tuttavia, prima che la fantasia

Action Painting

e la forza espressiva personale di questi artisti venissero decantate e si rivelassero trascendentali, nella loro arte.

Nel suo stile iniziale, Pollock lottava con le fantasie primordiali e vitali derivate principalmente dalla immaginativa della *Guernica* di Picasso e dal Surrealismo, ma le pennellate libere e potenti sciolsero il suo contenuto di violenza trasformandolo con sottigliezza nella 'scrittura' non rappresentativa che in seguito lo contraddistinse. Anche le sue pitture secondo la tecnica dello sgocciolamento del 1947, più aperte, continuarono tuttavia a richeggiare il carico di energia e gli umori contrastanti di queste prime pitture immaginistiche. Nel labirinto delle spire, delle linee sferzate, si direbbe intrappolata qualche bestia immaginaria, o qualche invisibile avversario che lotta per liberarsi. Anche le opere di Willem de Kooning sono improntate, ma in misura minore, al Surrealismo; De Kooning, insieme a Pollock, era alla testa dei pittori di avanguardia americani e, dopo il 1952, ne divenne la figura più autorevole. La sua immaginistica del primo periodo era, anch'essa, essenzialmente fantastica nel contenuto, ma nell'arte di De Kooning non vi è che un breve passo da queste immagini, che affondano le radici nella fantasia surrealista, alle forme-colore, a frammenti liberamente espressi del suo stile più maturo. Dopo il 1948, le fantasie sussistono sempre, ma più sobrie e incorporate in una presenza più ampia.

Verso la fine degli anni 1940 si notavano pure cambiamenti nell'opera di altri pittori di avanguardia americani, dovuti ad un processo di sublimazione della fantasia e degli accenti espressionistici più violenti. Rothko, Newman, Gottlieb e Still abbandonarono il mito e il contenuto primitivo a favore di idiomi astratti. La pittura scoprì nuove risorse nell'elucidare l'atto creativo stesso come contenuto espressivo fondamentale suo proprio. L'enfasi veniva quindi spostata da ciò che prendeva corpo nella mente dell'artista e posta sullo sviluppo dell'immagine che scaturiva dalla sua mano. Nel corso di questa evoluzione l'artista si abbandonava inevitabilmente ad un certo virtuosismo, invitando gli spettatori ad ammirare la sua abilità di improvvisatore, la sua audacia nel rischiare, per così dire, tutte le sue risorse in un momento di profonda intensità e breve durata.

Ciò è particolarmente vero nei riguardi di Pollock, Hofmann e De Kooning ed altri artisti a loro collegati, che annettevano un'importanza particolare alla rapidità dell'esecuzione e al gesto autografo. La loro opera incarnava una nuova percezione del tempo, perché imponeva che l'atto del dipingere fosse sperimentato con urgenza come avvenimento concreto e immediato. Il dipinto veniva così a simboleggiare un episodio nel dramma dell'auto-definizione dell'artista, piuttosto che un oggetto da essere perfezionato, una fantasia da estrinsecarsi od una struttura da erigersi secondo regole prestabilite. Il termine «pittura d'azione» racchiude un significato morale d'impegno e di significato estetico, come liberazione da idee preconcette di stile che vanno oltre il concetto di atletica e di energia improvvisatrice, a cui questo suggestivo epiteto viene generalmente limitato.

Il pittore modernista tedesco, Hans Hofmann, il cui influsso come maestro sui pittori di avanguardia americani fu enorme, fu forse il primo artista ad anticipare le forme più libere della pittura d'azione. Sin dal 1940, nella sua opera innovatrice, *Spring* (Primavera), egli approfondì la tecnica della pittura a sgocciolamento sulla superficie della tela, metodo che doveva poi venire consacrato da Pollock. Hofmann, parlando, faceva una distinzione tra i concetti tradizionali di una forma fissa e l'idea di una forma mobile a servizio di un procedimento di trasformazione continua e di movimento spaziale. Nella sua opera, la pennellata, il segno e la sgocciolatura vengono istantaneamente impressi come forma coerente ed intelligibile nel momento stesso in cui colpiscono la superficie della tela. Questo, infatti, fu il tipo generico di pittura che rivoluzionò l'arte americana negli anni 1940.

All'inizio un gruppo sempre più esteso di artisti, poi un piccolo gruppo di critici e di conoscitori e, infine, un pubblico più vasto acquistò la capacità di «leggere» la pittura d'azione e la scultura, a questa collegata con metalli saldati, quale nuova e completa espressione estetica.

La transizione dello stile dalle varie forme di espressionismo e realismo romantico che dominarono il periodo degli anni 1930 fino al giungere del nuovo astrattismo fu, per molti artisti dell'avanguardia, piuttosto brusca. Ad eccezione di Gorky, Hofmann e De Kooning, la maggior parte della nuova generazione erano artisti già maturi che avevano lavorato in maniera efficace come interpreti della scena sociale prima della loro conversione agli idiomi astratti. È significativo che negli anni 1940 e all'inizio del decennio 1950 le immagini rappresentative riapparvero nei loro lavori frequenti ed intense. Le fantasie anatomiche del primo periodo di Pollock, ritornano nelle sue pitture in bianco e nero del 1951, come se egli si sentisse costretto a ripetere il rito della transizione dalla figurazione all'astratto onde impedire ogni confusione con le forme puriste o intellettuali dell'arte non oggettiva, già precedentemente impostasi in questo stesso nostro secolo. In Europa, nello stesso periodo, veniva formandosi una tendenza espressionista e romantica nell'ambito dell'astrattismo, nella figurazione primitiva di Dubuffet e nelle invenzioni grottesche di John Appel e del gruppo Cobra. Solo la maschera umana, il corpo umano o un vestiario fantastico sembravano atti ad esternare l'intensità del sentimento che questa pittura di situazioni estreme racchiudeva come contenuto principale, sulle due sponde dell'Atlantico.

A partire dalla fine degli anni 1940 fino alla metà degli anni 1950, De Kooning rappresentò la forza dominante nella pittura americana, provvedendo un dizionario di concetti pittorici vitale e un punto di partenza per ulteriori esplorazioni. Le energie liberatrici e il radicalismo formale di Pollock lo circondavano di un alone da eroe della cultura agli occhi dei giovani artisti e la sua morte prematura, avvenuta nel 1956, contribuì a rafforzare la leggenda. Ma il suo influsso diretto fu molto limitato fino a quando, in seguito, si fece palese il significato più profondo del suo stile. La sua visione sempre pittorica, la combinazione dello slancio aggressivo verso lo stile grandioso e la riminescenza della tradizione contraddistinsero De Kooning e la sua eleganza in un ambiente pittorico di violenza ed influirono assai più direttamente sulla propria generazione e su una generazione di transizione di giovani artisti. L'immagine « aperta » di De Kooning insieme al suo ripudio dello « stile » e di ogni professionalismo da studio, lasciarono adito al lirismo raffinato di Jack Tworkov, alla strutturata scorrevolezza della pittura e del collage di Esteban Vincente e alle chiare personalizzazioni del suo idioma tra le messi, che venivano maturandosi, di giovani e brillanti pittori quali Larry Rivers, Joan Mitchell, Grace Hartigan, Al Leslie ed altri. Il loro contegno era troppo abrasivamente individuale per potersi omogeneizzare, nel senso accademico, in una scuola, eppure abbastanza rappresentativo per conferire al tipo di espressionismo astratto di De Kooning la compattezza e l'autorità di un movimento genuino. Come, con la sua abituale perspicacia, ha asserito Harold Rosenberg nel suo libro « The Anxious Object » (L'Oggetto ansioso) i movimenti artistici vitali liberano le energie individuali e non le stereotipano: « Partecipando ad una corrente, l'individualità non più ricercata per se stessa, si accresce ... Ben lungi dal porre un freno alla fantasia dell'artista, il movimento artistico magnetizza, mediante il gesto della mano, intuiti e sentimenti che scaturiscono dal di fuori dell'io e forse persino da oltre la consapevolezza ».

Man mano che l'espressionismo astratto andava acquistando credito nei centri regionali, esso sembrò identificarsi quasi esclusivamente con la fisionomia della pittura di De Kooning, sia astratta, sia figurativa e per molto tempo le importanti innovazioni di un altro gruppo, associato ma di tendenze assai diverse, di pionieri astrattisti americani, rimasero offuscate e si negava loro l'importanza che ad essi spettava. I pittori Clyfford Still e Mark Rothko, ai quali doveva unirsi Adolph Gottlieb dopo la sua fase 'pittografica' apportarono all'arte americana un simbolismo astratto che si è rivelato per essere un influsso altrettanto formativo negli anni 1960, quanto lo fu la 'maniera' di Willem de Kooning negli anni 1950. Pur rifiutando palesemente, questi ultimi tre artisti, i metodi e gli scopi della pittura di azione, ciononostante esistevano dei saldi legami tra questi due gruppi artistici, a prescindere da ogni intimo accomunamento personale.

Nella costellazione di pittori che si identificarono con Pollock e De Kooning, la pittura d'azione si manifestava come un'arte di gesto appassionata, mobile e di largo respiro. Il dipingere poteva concepirsi come primato dell'atto creativo perché i segni vitali dell'impegno personale e dell'inventiva spontanea erano lì, ben visibili, a documentare il procedimento seguito dall'artista nel prendere le proprie decisioni estetiche. Tuttavia, sullo scorcio degli anni 1940, la pennellata carica ed espressiva dei pittori ortodossi secondo la maniera della pittura d'azione e i loro accenti emotivi e impetuosi avevano ceduto il passo all'ampiezza, alla raffinatezza, all'obiettivismo.

La pittura a sgocciolamento a largo respiro di Pollock assorbì il fortuito, l'immagine e i dettagli irruenti, in un campo di accenti uniformi. Con lo sparire dei frammenti riconoscibili dell'immagine e delle manifestazioni di tensione e di violenza psicologica nel maneggiare il colore, l'effetto generale della pittura acquistava importanza. L'intero rettangolo della pittura, equilibratamente accentuato, raggiungeva un effetto globale, ossia una totalità e si presentava all'occhio dello spettatore come un insieme palpitante, sfavillante, unico. Quale conseguenza di questa evoluzione, si ebbe un aumento nell'ampiezza della scala e quindi dell'imponenza dell'effetto; ne risultò che, oltre a realizzare un interessantissimo effetto di gesto, il dipinto sembrava dilatarsi oltre i limiti della cornice, ponendo lo spettatore in una situazione 'ambientale'. Le grandi pitture di Pollock del 1949 e del 1950, e le opere monumentali di De Kooning quali *Excavation* e *Attic*, dello stesso periodo, non devono venir considerate semplicemente come un'ostentazione del gesto o uno spettacolo di virtuosismo atletico. Sono strutture troppo grandi, troppo approfondite, troppo intimamente meditate per venir considerate nell'ambito ristretto di uno sfogo espressionista. Sono, infatti, tentativi di affrontare una situazione ambientale totale, come lo furono i paesaggi più tardi di Monet, ma in maniera più passiva, più ottica. La mera estensione fisica cancella ogni linea di demarcazione tra l'opera d'arte e lo spazio che noi, il pubblico, occupiamo.

Simbolismo astratto

Tuttavia, l'intuizione di un campo pittorico ampio e uniforme e un ordinamento ancor più monolitico era già operante negli stili più radicali di Clyfford Still, Mark Rothko, e Barnett Newman, la cui arte, sullo scorcio degli anni 1940, si trovava agli antipodi dell'energica pittura d'azione, con particolare enfasi posta sul disegno, sulla dissociazione delle forme e sul gesto personale. Laddove Pollock e De Kooning realizzarono l'avvolgimento spaziale e la frammentazione della forma e dell'immagine, questi artisti raggiunsero una potente forza d'espansione mediante la decelerazione di piccole forme variegate in isole dominanti, zone e campi illimitati di colore intenso ed omogeneo. In luogo dell'attività motrice della mano, venivano utilizzate ambiguità ottiche e illusorie per rendere il concetto di mutamento.

Alcuni di tali significativi mutamenti appaiono evidenti nell'immenso campo di colore rosso del *Vir Heroicus Sublimis* di Barnett Newman. In questa colossale pittura, il decoro pittorico viene trattato in maniera nuova e radicale. Il noto movimento spaziale irrequieto e i segni auto-indicativi della pittura espressionista astratta sono stati eliminati e resi solenni in maniera grandiosa da una complessa pulsazione di colore in chiave acuta in un campo pittorico di vaste dimensioni, diviso da due esili strisce verticali. Queste strisce fragili ed oscillanti, ingannano l'occhio e la mente con l'alternarsi dell'acquiescenza e dell'aggressività chiaramente visibili per la loro lucentezza e perdendosi quasi nel sublime, imprimono sulla retina strane immagini retrospettive. Il loro astuto equivocare sovverte completamente il concetto di divisione e di ripartizione geometrica, come se concetti di spazio uniforme e analisi meccaniche racchiusi in una serie venissero ingoiati da un nuovo intuito di esperienza totale. In questo dramma visivo, potente e trasformante che è stato così oculatamente definito 'l'astratto sublime', l'enorme distesa del rosso intorpidisce l'ego, come qualsiasi esperienza 'oceanica' nella natura sposta il baricentro del nostro io; al tempo stesso l'esperienza risveglia l'intelletto, poiché i problemi, nella loro interpretazione visiva, vengono posti e richiedono un'intelligenza agile e sveglia. Le fonti di Newman sono al momento le stesse di Pollock, malgrado l'insistente geometria e il contenuto psicologico.

L'austero rigore della forma, il trattamento meccanico della superficie e il carattere problematico della pittura di Newman, rivelano oggi la loro attinenza con la pittura 'anti-sensibilità' di un'intera scuola di cui facevano parte i più giovani tra i pittori astratti. Qualcosa della medesima calcolata insensibilità, diretta verso scopi artistici più elevati, è pure manifesta nei dipinti di Clyfford Still, le cui forme preferite erano organiche, biomorfologiche, piuttosto che geometriche. Le sue zone di tinte omogenee sia vivaci sia cupe, intese ad assorbire lo spazio, la distruzione da lui operata delle strutture del cubismo, la sua linearità, il suo rifiuto di seguire la via più facile nel trattamento, hanno esercitato una considerevole forza d'urto sul corso dell'arte americana; in alcuni campi egli precorse i tempi ed esercitò un influsso potente. Le applicazioni di colore liquido e la tecnica a sgocciolamento di Sam Francis vanno debitrici, secondo alcuni aspetti, alla tecnica a spruzzo di Pollock, ma quando, come nel suo primo stile, Francis ammassava le sue forme a fagiolo congestionate e sgocciolanti, in cortine di luminosa oscurità, alleggerite solo dall'attività marginale di qualche tocco brillante, il debito artistico più rilevante lo aveva contratto con Still. Sin dalla metà degli anni 1940, Still aveva eseguito esperimenti nel campo delle riduzioni cromatiche radicali, spingendo l'espressione colorifica fin quasi ai margini dell'invisibile, caricando la sua tela di neri opachi e viola e mantenendo attivo solo un esile aberrante fluttuare di colori vivi dello spettro solare lungo i bordi del rettangolo della tela.

Le riduzioni di espressione cromatica ai margini dell'invisibilità si erano manifestate, drammatiche, negli anni 1950, nelle tele nere di Ad Reinhardt. Le sue composizioni a graticola, segmentate, sono così scure e l'enfasi vi è così equilibrata che la distinzione tra forma e colore richiede un intenso scrutare per poterla scoprire. Eppure, nel movimento quasi impercettibile concesso all'occhio, da una struttura gestaltica di forme geometriche all'altra e gli spostamenti dal colore all'assenza di colore, ricostituiscono, in forma espressiva quintessenziale, i concetti di mutamento e di stabilità, di attività e di quiete, che sono alla base dell'espressione contemporanea più significativa. L'ingenuità, la sincerità dei mezzi usati da Reinhardt, l'aspetto maestoso delle sue icone impassibili e il curatissimo trattamento delle superfici di queste, prese tutte insieme, sono la testimonianza più viva e penetrante della purezza della pittura contemporanea americana. Nel loro contesto di rinunzia e di austerità i vaghi tremori di sensibilità personale, che si possono discernere in condizioni di luce favorevoli, vengono registrati con maggiore intensità e maggiore acutezza.

La distinzione in atto tra gli espressionisti astratti, fra un'arte energica ed impassibile e una d'impulso e di sensibilità, era già palese per molti osservatori negli anni 1950 e tra questi al professore Meyer Schapiro che, nel 1956, tenne a Londra una conferenza sui nuovi pittori. Le sue osservazioni furono riportate in un articolo assai rivelatore pubblicato sul « BBC Spectator ». In tale articolo si metteva in luce il contrasto tra l'irrequieta complessità dell'opera di Pollock e di De Kooning con la pittura inerte e spoglia di Rothko. « Ognuno di essi », scriveva Schapiro, « è alla ricerca di un assoluto nel quale lo spettatore ricettivo possa perdersi, gli uni per mezzo di un movimento coercitivo, l'altro mediante una sensazione compenetrante, seppure interiorizzata, di colore dominante. Il risultato comune è un mondo dipinto con un'immediata e potente forza d'urto ». Il significato e l'influsso di pittori meno drammatici e, ovviamente, meno 'esistenziali', come Still, Rothko, Newman, era limitato alla forza d'urto incredibilmente diffusa dell'influsso di De Kooning, sulla seconda generazione di artisti americani. Solo verso gli anni 1960, quando l'impeto della pittura d'azione cominciò a subire un rallentamento ed emerse una nuova generazione di tendenze più obiettive, ebbe inizio la ricerca di altri precedenti. Le opere di Barnett Newman, Mark Rothko, Ad Reinhardt e Clyfford Still, continuarono ad avere, negli anni 1950, il loro pubblico fedele e i loro ammiratori tra i componenti della vecchia avanguardia e sulla costa occidentale nei dintorni di San Francisco. Negli anni 1960, però, acquisirono un pubblico molto più significativo tra gli artisti giovani, quando si ebbe uno spostamento decisivo della sensibilità dell'arte gestuale verso un astrattismo più ordinato e obiettivo. Solo ora possiamo renderci conto di quanto fossero profetici e antesignani fenomeni quali le tele strette e verticali di Newman, che oggi sembrano direttamente collegate alla 'minimal art' e, per dirla con Michael Freid, alle strutture 'deduttive' di Frank Stella; quanto drastiche ed originali fossero le strutture nero su nero, monotone e quasi invisibili di Ad Reinhardt, che ebbero inizio nel 1954. Ancora più notevoli, forse, furono i pannelli congiunti di tele bianche di Robert Rauschenberg, esposti nel 1951, e gli ordinamenti orizzontali di una serie di pannelli rossi, gialli, neri, bianchi e azzurri creati nel 1953, ma che non furono esposti a New York che alcuni anni dopo.

Il fatto è che la critica e la teoria estetica erano in ritardo rispetto agli sviluppi positivi nel campo dell'arte, il che si verifica quasi sempre. Infatti, solo nel 1961 H. H. Arnason propose che venisse adottato il termine 'abstract imagists' (figuristi astratti), per definire gli artisti non espressionisti tra coloro che esponevano le loro opere in una mostra allestita nel Museo Guggenheim, riconoscendo con ciò che 'pittura d'azione' non era sempre necessariamente il termine adatto o preciso per descrivere le pitture di artisti quali Newman o Rothko ed altri più giovani dediti alla pittura definita 'hard-edge', alle immagini unitarie, alle forme simmetriche, alle vaste distese di colore piatto prive di dettagli. Agli inizi degli anni 1960, l'attenzione sia dei critici che degli organizzatori di mostre, si concentrò sui nuovi 'campi di colore' nell'arte astratta. Clement Greenberg propose le pitture ad immagine colore, in particolare quelle di Morris Louis e Kenneth Noland, come alternativa ad un espressionismo ormai esaurito. Nel 1963, il Jewish Museum, in una mostra allestita ovviamente sotto l'influsso dell'estetica di Greenberg, per manifestare la crescente reazione anti-De Kooning, scelse il titolo 'Towards a New Abstraction' (verso un nuovo astrattismo). Tra gli artisti di cui vennero esposte le opere, figuravano Kelly, Louis, Noland, Held, Parker e Stella.

Verso la fine degli anni 1950, le alternative alla pittura d'azione erano prossime e palesi e accessibili agli stessi artisti. Tra quelli della generazione più anziana si annoveravano artisti che praticavano la pittura cromatica astratta quali Newman, Rothko, Clyfford Still e Ad Reinhardt, che in quel momento veniva imponendosi all'attenzione del pubblico in maniera significativa. Vi era pure una nuova linea di sviluppo diretta esclusivamente verso la tecnica dello 'stained color' (pittura a mordente) in netta opposizione alla tecnica della pennellata di De Kooning e della pittura d'azione in genere. La tecnica della pittura a mordente sembra si evolvesse attraverso l'opera di Sam Francis, o forse di Helen Frankenthaler, per giungere a quella di Louis, quindi assunse una forma più rigorosamente geometrica nell'opera di Kenneth Noland. Tra un vasto gruppo di artisti si ebbe pure un manifesto accresciuto interesse per la simmetria, per le definizioni nette e precise, per le superfici immacolate e l'ordine formale come reazione all'invenzione a 'ruota libera', alla spontaneità, all'amorfismo e al disordine dei pittori d'azione. Di lì a poco il termine 'hard-edge' divenne termine corrente e popolare per definire questa nuova scuola di pittura e in particolare l'opera di Ellsworth Kelly. Lo sviluppo determinante di questa, è interessante notarlo, si ebbe a Parigi e non a New York, in un ambiente completamente estraneo all'esperienza americana e alla pittura d'azione. Altri artisti, quali Leon Polk Smith, Alexander Liberman e Al Held, formarono un gruppo slegato, o costellazione di 'new precisionists' (nuovi precisionisti). La reazione anti-espressionismo si basava su un rinnovato senso di rispetto per l'ordine e per la chiarezza, e su un senso quasi classico delle possibilità racchiuse nell'arte. Queste nuove tendenze, tuttavia, non derivavano dalle tradizioni di astrazione geometrica o esempi di costruttivismo che risalivano a Mondrian e a Malevick; la rinnovata arte astratta formale aveva acquisito un accento locale ed elementi di ambiguità psicologica nel proprio ordinamento ed anche dimensioni ed un grado di energia associate alla pittura d'azione. Tuttavia, in luogo del dramma creativo dell'espressionismo astratto, del 'gestuale' sulla tela, dello scontro con l'estetica del movimento attraverso il mezzo, o colore, vi era ora una nuova problematica centrale nel cuore stesso della pittura innovatrice. Gli artisti più giovani avevano fatto del concettualismo e dell'obbiettività i fattori decisivi e dominanti. I dipinti non erano più 'composti', inflessi o significativi nel senso tradizionale o direttamente interpretabile. Laddove Newman minimizzava l'atto di dipingere e i dettagli della composizione allo scopo di sottolineare, se volete, le implicazioni metafisiche e sublimi della sua arte, Reinhardt adoperando mezzi altrettanto austeri e ridotti procedette in senso inverso e così si avvicinò maggiormente allo spirito della nuova generazione producendo dipinti oscuri, passivi e molto specifici, che poco si discostavano dall'invisibilità. Tuttavia, l'umore di totale distacco di Reinhardt è ugualmente capace di coinvolgere totalmente lo spettatore che sia pronto a rinunziare alla titillazione che di solito si richiede all'arte.

Pure entro i limiti delle austerità, delle semplificazioni e persino delle uniformità degli stili astratti correnti, sia nella pittura che nella scultura, Newman e Reinhardt esercitano i loro rispettivi e ben diversi influssi; Newman a favore di un'espansività romantica, Reinhardt a favore di una forma d'arte più circoscritta, più stilizzata, più ripetitiva e persino di serie.

Negli anni 1960, l'astrattismo espressionista o 'post-pittorico', può venire di solito classificato secondo un numero limitato, ma significativo, di categorie, come segue: 1) Pittura 'Color-field' che comprende l'astrattismo lirico di Helen Frankenthaler e Morris Louis, le forme più rigorose di Kenneth Noland e la tangibile foschia di colori atmosferici di Jules Olitski. 2) La pittura 'Hard-edge', termine derivante da una mostra tenutasi verso la fine degli anni 1950, che serve, in senso lato, a definire le forme geometriche, o quelle dai contorni ben netti, adottate da pittori quali, tra gli altri, Ellsworth Kelly, Leon Polk Smith, Al Held e Frank Stella. Il termine non è del tutto chiarificatore e per ora si deve intendere come indicativo di una pittura più precisa e calcolata di superfici immacolate che emerse, in campo storico, poco prima dell'inizio degli anni 1960. 3) La pittura 'Shaped Canvas' (tela sagomata), che comprende le opere di artisti come Richard Smith, Charles Hinman, Paul Feely e anche Stella. Tutte queste classifiche: 'color field', 'hard-edge', 'shaped canvas', sono elencate nell'ordine cronologico con cui vennero portate alla conoscenza del pubblico sia attraverso le mostre, sia dalla critica. 4) La 'Monochromatic painting' (Pittura monocroma), risente del forte influsso di Ad Reinhardt e, in quanto maniera, ha svolto un ruolo decisivo nella formazione di artisti più giovani, ad esempio, Robert Mangold. 5) 'Optical painting' (Arte ottica): è questo un tipo d'arte, come lo definisce il termine stesso, che si basa sulla dinamica percettiva e sullo scintillio ottico; campo esplorato in una mostra allestita nel Museo William Steitz nel 1965, i cui maestri sono Vasarely, Soto, l'americano Josef Albers, ed altri artisti americani più giovani, come Richard Anuskiewicz, che hanno anch'essi adottato con successo questo stile.

Gli effetti visivi nell'opera di molti pittori che hanno adottato la tecnica del 'color-field' e del 'hard-edge', come Gene Davis e Ellsworth Kelly e, persino, Rothko, Newman e Reinhardt nella sua prima maniera anteriore al 1954, possono considerarsi alla stregua di 'arte ottica', poiché anche quest'arte utilizza contrasti tra colori densi, immagini retrospettive, effetti subliminali o violenti di superficie e, a questo modo, attiva potentemente la visione essendo questo uno dei suoi scopi precipui. È chiaro che molte di queste categorie si sovrappongono le une alle altre. I pittori che seguono la tecnica del 'color-image' e gli artisti che ricorrono ai contrasti del 'close-valued color' di raffinatezza subliminale, siano questi colori brillanti o scuri, sono collegati, ciascuno secondo la propria maniera, gli uni agli altri. Lo scopo scientifico e l'inclinazione di quegli artisti seguaci dell'arte ottica o del 'hard-core' hanno esercitato un influsso molto limitato sui pittori più rappresentativi dell'arte americana. 6) La 'Serial Art' (Arte seriale) è l'ultima classifica della più recente pittura astratta. Questa è un'arte di immagini ripetitive, prive di distinzioni formali, con reiterate sequele o serie di immagini o configurazioni astratte. L'uso di forme monotone e modulate prive, nel loro aspetto generale, di brusche transizioni, è più manifesto e

Tendenze dell'espressionismo astratto

più radicale nella scultura moderna, ma si nota anche nella pittura. I giovani artisti che seguono questa via rivelano pure abitudini mentali ed interessi intellettuali diversi. Sono attratti da Wittgenstein, dalla teoria della matematica e dell'informazione e reagiscono alle maniere razionalistiche intellettuali che sono al servizio di una complessa società tecnologica. Le forme in serie rappresentano un ulteriore principio organizzativo, come la cosiddetta 'minimal art' o strutture primarie che sembrano indicate per capire, e applicabili, all'opera di artisti quali Larry Poons, Donald Judd, Sol Lewitt, Robert Smithson, Robert Morris ed anche alcuni 'pop-artists' come Andy Warhol che si serve di una figurazione ripetitiva e meccanica.

Sin dal 1954, i cosiddetti dipinti 'floreali' di Morris Louis, che a loro volta derivano dai primi 'oak-stain' di Helen Frankenthaler, ad esempio il suo paesaggio astratto del 1952, *Mountains and the Sea* (Le montagne e il mare), preannunziano un potente nuovo orientamento nel campo dell'arte. Il disegno energico nella pittura e la linearità di Pollock e di De Kooning furono sostituiti con forme più ampie dall'aspetto più tranquillo e da campi di colore più pallidi. L'uso del colore da parte di Louis come tintura anziché in pasta consistente e l'applicazione della tinta, grazie alla forza di gravità mediante l'inclinazione della tela, soppressero l'effetto visibile della mano dell'artista; la mano non si faceva più sentire, come in Dè Kooning, in termini di pressione o di resistenza da parte della superficie e quindi il colore, visto piuttosto come fenomeno che come gesto, veniva dotato di una chiarezza e di una oggettività del tutto nuove. Le velature e il lavaggio con tinte diluite, sovrapposte le une alle altre, di Louis portarono, con l'andar del tempo, al rigorismo strutturale dei bersagli, dei 'chevrons' o galloni, delle diagonali e delle altre forme emblematiche di Noland. Si ebbe allora una progressione del lirismo artistico verso nuove forme iconografiche, discoste dall'accidentale, e una profusione di accorgimenti diretti alla simmetria, alla codificazione del gesto, ed all'economia dei mezzi. L'opera di Noland rivela un maggior rigore intellettuale di quello che si riscontra nell'arte di Louis che è più edonistica e intonata al sensibile. Le forme e i segni di Noland sono chiaramente disegnati, semplici, quasi banali infatti, ma le sue fasce di colore si estendono fino ai limiti del suo campo e creano una corrente alternata tra il fulcro e la dispersione, tra il concentramento entro le forme emblematiche e il senso delle energie cromatiche oltre il rettangolo che le incornicia.

Le forme 'hard-edge' di Kelly sono scrupolosamente monde di ogni dettaglio e di ogni irregolarità sulla superficie, capaci di tradire la presenza della mano o di qualsiasi altro fattore accidentale. Il concetto di caso fortuito, o di irregolarità, una volta veniva equiparato all'autenticità individuale. Tuttavia, il decoro formale si è palesato, alle nuove generazioni, al contempo più onesto e più carico di capacità espansive. Kelly ha saputo realizzare una grande varietà di invenzioni formali e un nuovo genere di sensualità entro le sue forme più severe; la figura e il campo divengono, ciascuno, una realtà tangibile e ai fattori più semplici di forma e di colore vengono conferiti nuovi poteri espressivi.

Con i loro 'shaped-canvases', Stella, Richard Smith ed altri hanno creato una forma di pittura non-relazionata, in opposizione all'espressionismo e alla pittura bi-dimensionale dei pittori d'azione; nella loro opera essi pongono l'accento sulle ambiguità tra il pittorico e lo strutturale, tra l'illusione visiva e l'oggetto tri-dimensionale. I contorni del telaio provvedono un tipo di definizione e le forme dipinte, aventi attinenza al telaio, ma non legate ad esso, creano un'altra immagine reciproca ed una metafora visiva. Gli 'shaped-canvases' di Stella vengono creati secondo varie permutazioni e varie serie, a volte con combinazioni di colori alternate. La semplicità quasi 'idiota' della sua composizione, o del suo disegno mirano a sottolineare una voluta vacuità di mente e quindi conferiscono maggiore enfasi e maggior significato al concetto del dipinto visto come 'oggetto'.

Verso la metà degli anni 1950, cominciando con Yves Klein in Europa e Ad Reinhardt in America, il colore è diventato un aspetto sempre più problematico della pittura. L'impegno del pubblico nei confronti dell'arte viene messo alla prova col condurlo il più vicino possibile alla contemplazione del nulla di un rettangolo di colore non differenziato. Insistendo sul fattore tedio e riducendo il contenuto della loro arte al minimo, questi artisti sfidano aggressivamente il pubblico. Come è avvenuto assai spesso nell'arte moderna, un impulso invita alla contraddizione, o all'opposizione, allo scopo di autodefinirsi. Quindi l'accento sul colore vivace e brillante ha portato all'abolizione totale di ogni sensazione cromatica. Gli azzurri monocromi fulgenti di Klein, le pitture monocromatiche rosse e azzurre di Reinhardt hanno condotto spietatamente alle sue 'pitture nere', anzi, si sarebbe detto, all'antipittura. Il carattere quasi uniforme, non inflesso ed omogeneo delle 'pitture nere' di Reinhardt che hanno avuto inizio nel 1954, era collegato assai da vicino alla 'figura singola' e all'effetto 'integralistico' di gran parte dell'arte astratta contemporanea successiva ad esse. Infatti, fu questa aspirazione a raggiungere una totalità di visione, a scanso di ogni dettagliata definizione delle parti, che caratterizzò potentemente la reazione all'espressionismo astratto di De Kooning, Pollock, Kline e i più ortodossi dei loro seguaci tra i pittori d'azione.

Vasarely, Albers ed altri cosiddetti artisti dell'arte ottica si erano interessati alla dinamica percettiva ed alle potenzialità delle figure colore che potevano venire spinte verso una vivacità subliminale o, alternativamente, verso l'invisibilità. Un confronto aggressivo di colori provocava pulsazioni di luce e di movimento e intensificava gli effetti della fusione e della dispersione, facendo della superficie della tela un fenomeno molto vivace e attivando così la percezione. Al contempo la 'op-art' di questo tipo ha pure un carattere risolutivo di problemi che coinvolge il pubblico in nuovi procedimenti di azione reciproca nei confronti dell'opera d'arte, proprio nello sforzo di scoprire quale sia il sistema che la governa. È una specie di gioco, un tentativo di risolvere un enigma. Tuttavia, l'aspetto estremamente scientifico e persino meccanico dell'arte ottica, l'accento che questa pone quasi esclusivamente sulle reazioni e le sensazioni della retina, ne ha limitato la portata espressiva. Come mezzo di espressione questo stile ha raccolto più consensi in Europa che in America, forse perché basato su precedenti verificatisi nell'arte di genere costruttivo e sull'arte ottica che hanno radici più profonde nella tradizione europea.

La 'serial-art' e le nuove forme a carattere minimo e strutturale sono una combinazione dell'illusione, di cui l'arte ottica ha fatto un gioco, e di elementi riduttivi formali o strutturali. Fu Stella a definire la propria opera come oggetto impassibile e a rifiutare di sottoporla ad interpretazioni, insistendo unicamente sulla mancanza, in essa, di contenuto associativo od espressionistico. Stella e molti altri tra gli artisti definiti 'minimalisti' nel campo della scultura e in quello della pittura, quali Darby Bannard, Larry Zox, Ronald Bladden, Robert Morris, Donald Judd, Don Flavin ed altri ancora, hanno in comune la caratteristica di far uso di forme estremamente semplificate, sia nella configurazione dell'immagine singola concentrata, sia nelle sequele o serie. Spesso il senso della forma e del contenuto di queste non coincidono; infatti un oggetto dall'aspetto blando e neutro può costituire la base di lancio per un assalto progressivo allo spettatore, mediante combinazioni di colori abbaglianti e astute contorsioni di forma nello spazio o nella scala architettonica. La ripetizione della figurazione e l'elemento tedio deliberatamente voluto sono anche aspetti della musica ballabile e di quella dei film contemporanei. Tali accorgimenti sono catartici come mezzo per purificare l'arte dal vecchio contenuto sentimentale e formalmente innovatori nel nuovo fulcro di visione che essi provvedono.

L'arte a carattere rudimentale contesta le pretese dell''alta' cultura e costituisce pure una sfida rivolta al pubblico mettendone alla prova l'impegno verso l'arte stessa; questa nuova espressione di sensibilità collettiva ci pone alla presenza dello strano paradosso per cui vediamo dei giovani artisti fare deliberatamente dell'arte vacua e non espressiva liberandosi così dal non essenziale onde poter sprigionare una nuova forma d'impulso convenzionale. È nel carattere negativo delle ripetizioni a serie delle forme riduttive o respingenti realizzate dai giovani, che si può stabilire un rapporto tra questi e un artista della vecchia generazione, complesso quanto Ad Reinhardt. Come è ripetutamente avvenuto, una nuova estetica si è venuta creando e si è espressa, all'inizio, come semplice reazione al passato; le asserzioni positive e le scoperte iniziali di questa venivano oscurate dalle sue stesse negazioni, dall'impulso distruttivo e iconoclasta che abbiamo tanto spesso incontrato nell'arte moderna. Trattandosi degli artisti minimalisti e strutturisti, oggi si è quasi più consci degli elementi dadaisti di ironia e di scherno e dell'inflazione delle forme che dei fattori di controllo formale, della padronanza dello spazio e della gradazione delle nuove tecnologie nel campo dei materiali, della potente scala architettonica e del monumentalismo. Gli 'shaped-canvases' che ripetono i temi in serie o le composizioni a carattere minimalista di Stella, qualunque sia la psicologia alla base della loro creazione, e la loro apparente impassibilità, sono tra i dipinti più innovatori e che esercitano il maggiore influsso, tra tutti quelli eseguiti in America dai tempi dei pittori d'azione in poi.

La nuova oscillazione verso l'oggettivismo nell'arte astratta, rappresentata dagli 'shaped-canvases' di Stella e dalle forme comuni emblematiche di Noland, trova un parallelo nello sviluppo di un nuovo spirito positivistico sia nel campo dell'arte importante, sotto forma di critica ad opera di Jasper Johns, sia nella 'pop-art'.

Tutti questi artisti, quelli dediti alla pittura astratta come i seguaci della pittura figurativa, concepirono la loro arte non tanto come mezzo di divulgazione o di auto-scoperta, come era avvenuto per i pittori d'azione, ma come una serie di fatti specifici, o come un sistema accuratamente controllato ed autonomo. Il primo artista ad aprire la strada a questo nuovo concetto di realismo fu De Kooning con la sua celebre serie *Donna*. La sua figurazione era stata tratta dai cartelloni pubblicitari e dalle illustrazioni a carattere commerciale e quindi sottoposta alle espressive e potenti distorsioni pittoriche dell'artista. La serie *Donna* si è sviluppata secondo il metodo del collage utilizzando le bocche disegnate con il rossetto delle fotografie pubblicitarie a colori e una figurazione che comprendeva Marilyn Monroe ed altri idoli femminili della cultura di massa.

Quasi al contempo, storicamente, Larry Rivers, esponente della seconda generazione dei seguaci di De Kooning, iniziò la rivalutazione del cliché pittorico con la sua bizzarra opera del 1953 *Washington Crossing the Delaware* (Washington attraversa il Delaware). L'ispirazione per questo grande dipinto da 'salone', l'artista la trasse dal folklore americano e da un quadro di genere accademico molto popolare, del secolo XIX, di Luetze che ogni scolaretto conosce a memoria. Servendosi di un tema disprezzato e banale, Rivers lo trasformò mediante un espressivo maneggiamento della maniera corrente della pittura d'azione; ma egli riuscì a stereotipare le tecniche e i concetti della pittura d'azione attorno ad un fulcro diverso. Così ebbe inizio lo spostamento del centro di gravità dell'arte. Grazie, in parte, a Rivers, il cliché o banale visivo penetrò ad oltranza nell'arte americana verso la fine degli anni 1950 e un linguaggio dialettale visivo sorto da fonti popolari cominciò a prender piede come movimento clandestino in violenta opposizione alle preoccupazioni soggettive e all'idealismo dell'arte 'elevata' della pittura d'azione che dominava in quel periodo.

L''impurità' di De Kooning, la sua ispirata irruzione nell'ambiente urbano per la figurazione e per trarre suggerimenti nella ricerca di soggetti, la sua tecnica del collage che gli permetteva di estrarre gli elementi di soggetti stampati nei rotocalchi e la qualità digressiva della sua visione che faceva affidamento sugli stimoli esterni oltre che sull'impulso pittorico, aveva già direttamente sanzionato gli esperimenti di Rivers. Ma Rivers stesso agì da pioniere e apportò un contributo originale introducendo soggetti riconoscibili in termini assai più espliciti, di quanto avesse fatto De Kooning, in un periodo in cui simili adulterazioni dell'arte astratta venivano considerate quasi un tradimento tra i rappresentanti dell'avanguardia. Soggetti triti e privi di originalità, in particolare per quanto riguarda il realismo del suo periodo 'Birdie' e in seguito, le sue trasposizioni da immagini fotografiche e marchi di fabbrica di prodotti commerciali, anticiparono e poi coincisero con lo sviluppo di simile contenuto che ebbe un influsso assai maggiore quando venne trasmesso attraverso l'arte di Robert Rauschenberg.

Rauschenberg e la Junk-art

All'inizio e fino alla metà degli anni 1950, Rauschenberg usò il metodo della pennellata libera della pittura d'azione di De Kooning, ma incominciò a caricare i suoi dipinti di pezze e di stracci, frammenti di racconti umoristici ed altri elementi di collage tratti da rifiuti ed altri scarti di carattere e di densità dadaistici. Le sue superfici cariche e agglutinate venivano ricoperte di colore secondo il caratteristico linguaggio gestalico della pittura d'azione, ma l'espressività pittorica aveva ridotto le prerogative nel contesto dell'architettura artistica soffocata da materiale alieno. L'uso intensificato di materiali sub-estetici mise in discussione la gerarchia delle distinzioni tra le belle arti e il materiale extra-artistico tratto dai mucchi dei rifiuti urbani. La 'Junk-art' aumentò d'impeto sullo scorcio degli anni 1950 e in quelli 1960 ed acquistò sempre maggior enfasi nei conglomerati di caldaie arrugginite e pezzi di macchinario nelle sculture di Stankiewicz, nelle superfici di legno scheggiato e plastica di Robert Mallary e nei pezzi di carrozzeria di automobili schiacciate e modellate di Chamberlain. Allen Kapprow, profeta e sostenitore dell'esperienza letterale nel campo dell'arte, suggerì « una lucida decisione di abbandonare ogni abilità artigianale ed ogni permanenza » e « l'uso di materiale ovviamente deteriorabile come i giornali, lo spago, il nastro adesivo, l'erba che cresce, e cibi reali, affinché nessuno possa mettere in dubbio che l'opera, di lì a poco, si ridurrà in polvere e finirà nel pattume ».

I rifiuti che Rauschenberg ed altri incorporavano nei loro lavori avevano un contenuto sovversivo glorificando tutto ciò che è privo di valore, messo al bando e spregevole. Simili strategie non solo sollevavano quesiti intorno alla natura dell'oggetto di quest'arte e l'integrità del mezzo usato, ma volevano pure essere un commento del contesto sociale della vita cittadina e della cultura di massa che hanno portato a queste assimilazioni. Rauschenberg rafforzò radicalmente l'alleanza con il mondo-immagine della cultura popolare e con gli artefatti della vita giornaliera, inserendo nei suoi lavori bottiglie di coca-cola, animali imbalsamati, gomme d'auto, oltre ad una miscellanea di rifiuti e di scarti soggetti a deterioramento, mentre contro queste rozze intrusioni operavano le qualità pittoriche caratteristiche dell'espressionismo astratto. A differenza degli oggetti poetici dei surrealisti, i rifiuti di Rauschenberg non miravano a scandalizzare per la loro incongruità; il loro significato associativo, infatti, era proposto in sordina e minimizzato. Rifiuti ed artefatti venivano da lui utilizzati con spirito ottimista e pratico; se il commentare sugli aspetti della società faceva parte del loro contenuto, questo avveniva a livello elementare e non specifico, riferendosi a null'altro all'infuori del ciclo di vita di oggetti appartenenti alla nostra cultura e al loro rapido declino nel pattume quando il flusso di nuovi beni di consumo li sospingeva in margine alla circolazione.

Le innovazioni di Jasper Johns esercitarono un influsso ancora più esteso sui cambiamenti radicali che si verificarono negli anni 1960. I suoi dipinti storici di bandiere e bersagli, esposti per la prima volta nel 1957, e le susseguenti carte geografiche, le serie di numeri, i suoi congegni a base di righe graduate e di cerchi ed altri temi ancora, crearono nuove forme rappresentative radicali, utilizzando immagini banali e comuni. Molti dei suoi soggetti miravano a chiarire il procedimento creativo dello spirito del 'fatelo da soli', sezionando e isolando le componenti dell'illusione e del fatto letterale, il visivo, il tangibile e invitando il pubblico a ricostruire le unità magiche dell'esperienza estetica. In particolare le bandiere americane dipinte da Johns rivelano nuove e sorprendenti possibilità nell'elaborazione dell'immagine con il rivalutare la moneta svalutata di un cliché visivo che appariva privo di contenuto per la troppa familiarità. Mentre l'espressionismo astratto ed il suo culto dell'opera d'arte come esperienza unica e privilegiata andava facendosi stereotipato nelle mani dei suoi seguaci accademici, l'immagine comune assumeva nuove possibilità di vita espressiva. Gli artisti più geniali cominciarono a manipolare i soggetti meno 'interessanti' e a trasformarli nelle forme nuove più interessanti durante gli anni 1960.

L'immagine più caratteristica e più innovatrice prescelta da Johns fu il bersaglio. Secondo due diverse versioni, modelli in cera dipinta, a frammenti, di varie parti del corpo umano, e una ripetuta parziale maschera del volto, venivano posti in una serie di scatole aperte sul centro di un bersaglio. La sobria convenzionalità del suo ipnotico centro e le mitigate implicazioni associative umane dei suoi modelli in cera creavano una potente azione reciproca di alternative frustrate. I sentimenti umani e i valori associativi si trovavano, infatti, sospesi tra i modelli in cera ed un rigido sistema geometrico ed ottico. Erano unite la gabbia del corpo e una prigione mentale; sia l'una sia l'altra immagine appariva stranamente opaca ed enigmatica. Si pensava poter decifrare messaggi cifrati provenienti da recondite regioni della psiche; ma questi vennero cancellati nella 'impersonalità' secondo la maniera moderna accettata e consacrata.

James Dine occupa un posto del tutto particolare tra gli artisti emersi dopo il 1960, ricollegati in senso lato, e forse erroneamente nel caso di Dine, con la 'pop-art'. I dipinti di Dine con oggetti attaccati, e i suoi ambienti, sono dotati di una potenza brusca e muscolare, che suona rimprovero al sentimento poetico indiretto e spento del suo primo mentore, Johns. Dine estende il gioco paradossale tra l'esperienza testuale e la rappresentazione illusionistica, rigenerando, con abilità rivaleggiante, le direttive pittoriche della pittura d'azione e quindi assimilandole ad un vasto repertorio di oggetti ricchi di associamenti umani di uso personale o di potenza ammirevole. La sua mobilia casalinga, il carattere ambientale delle stanze, le tazze dei gabinetti nelle sale da bagno, i mobili, gli strumenti, le tavolozze, le vestaglie, mirano tutti a provocare un senso di godimento per il loro potere espressivo, entro lo schema formale delle sue strutture. Queste non vengono poste in risalto per il loro potenziale scandaloso, ma lasciano sprigionare un'aperta aggressiva fantasia erotica (vedi un'ascia piantata in un tronco, una sega che taglia in due un campo azzurro di pittura), alla quale difficilmente viene data via libera. La genuina sincerità di Dine e la sua ingegnosità sono di pura vena americana, più collegate per estro a David Smith che a Johns e quindi libere da quell'ermetismo che, nello stile di quest'ultimo, costituisce un rischio per coloro che lo seguono troppo da vicino.

Claes Oldenburg

Claes Oldenburg è uno scultore, ma esercita un influsso così potente su tutti i mezzi e su tutte le forme dell'arte, che merita particolare considerazione anche in un saggio sulla pittura. La sua estesa compartecipazione, e le sue grandi energie, lo rendono uno dei più importanti innovatori degli anni 1960. Egli si formò, in effetti, alla scuola dell'espressionismo astratto, ma lo abbandonò verso il 1959, aprendo la via ad una varietà di nuove forme di espressione compresa la 'pop-art'. Diede origine (insieme a Allen Kapprow, Jim Dine e Robert Whitman) al 'happening' (letteralmente: ciò che accade), che è l'ampliamento della pittura d'azione in una forma di rappresentazione espressionistica spontanea; egli è, però, più noto per i suoi giganteschi surrogati di cibarie, dipinti su tela e in gesso, che sviluppò dopo il 1960. Le superfici di questi rigonfi facsimili di banchi delle tavole calde e dei 'drugstores' (in America nei 'drugstores' è abbinata la vendita di medicinali e di bevande analcoliche), furono all'inizio trattati liberamente secondo la tecnica dello spruzzo e dello sciacquo della pittura d'azione, ma il riferimento ai modelli reali era chiaro ed inequivocabile. L'accento ripetutamente posto sulle cibarie sembrava voler attingere, piuttosto ingenuamente, dalla preoccupazione di fare della pubblicità tenendo conto dell'ossessione orale infantile degli americani, e gli oggetti prescelti da Oldenburg servirono di base per temi simili trattati secondo i sistemi più convenzionali della pittura su cavalletto praticati da Wayne Thiebaud ed altri. Oldenburg creò pure una serie di libere traslazioni pittoriche di marchi di fabbrica commerciali secondo la tecnica dello sgocciolamento e rilievi in cartapesta, tra questi il 'Seven Up', molto ingrandito. I suoi temi erano i prodotti comuni dei beni di consumo tipo standard, ma il suo modo di trattarli, in questo suo primo periodo d'inventività matura, rimase sempre deliberatamente caotico e di scarsa leggibilità, come, del resto, nella pittura d'azione.

Negli anni recenti, Oldenburg ha rinnovato i suoi oggetti; ora questi apportano delle 'migliorie' ai manufatti dell'uomo. Una serie di apparecchi telefonici 'morbidi', di tostapane, macchine da scrivere, ventilatori e automobili, sembrano uscire freschi dalla fabbrica ed hanno un aspetto levigato e rozzamente opulento, anziché troppo maturo o deteriorato. L'oggetto, infatti, viene creato levigato e meccanico, qualcosa da consumarsi, anziché assimilarsi fisiologicamente. Penetra nel contesto dell'arte come un oggetto di nuovo conio, ricoperto di 'vynil', prima di essere travolto dal ciclo del consumo e trasformato da oggetto d'uso in oggetto di scarto. Ma queste creazioni rimangono pur sempre oltraggiose, sia per l'immensità delle proporzioni, sia per la contraddizione insita in esse riguardo alle proprietà naturali delle cose che imitano, e dissimulano. Noi siamo portati ad identificare l'apparecchio telefonico dal suo involucro duro e metallico, ma i telefoni di Oldenburg sono flosci e infagottati, tutta epidermide e nessuna parte funzionale. Sembrano trovarsi sulla soglia di una vita animistica e magica, ma non sfuggono mai alla loro identità utilitaria e in questa sottile sfumatura si centra la loro ragione di essere. Perché, come un pallone da calcio sgonfio, sono oggetti senza una precisa funzione. Facendo loro subire questa poetica metamorfosi e rendendoli inutili, Oldenburg associa i suoi telefoni, le sue macchine da scrivere ed accessori vari, con l'oggetto dell'arte che è per definizione gratuito. I suoi manichini, i suoi oggetti duplicati, o di sostituzione, creano un ampio gioco di identità mutevoli che penetra la consistenza stessa dell'oggetto e la sua superficie fabbricata e sintetica.

Negli anni 1960, il ritmo crescente dei mutamenti tecnologici e la proliferazione delle comunicazioni di massa, conversero con il rallentamento dell'impeto dell'espressionismo astratto, per dar vita ad un movimento del tutto nuovo nell'arte americana. Le comunicazioni industriali, sempre più estese, che assorbono in gran parte se addirittura non monopolizzano la consapevolezza del pubblico, sono causa diretta del precipitare di quelle forme originali di espressione note come 'pop-art'.

Pop-art

Gli artisti della 'pop-art' traggono testualmente la loro figurazione dal mondo dei trattenimenti popolari e dalle fonti commerciali. Le forme imitative e il noto contenuto della 'pop-art' sono state oggetto di aspre discussioni, tra gli artisti della generazione precedente in particolare perché, così si dice, non hanno allargato a sufficienza le loro fonti visive originali. La 'pop-art' inoltre, sembra esprimere tutte le tendenze meccaniche ed anti-individualiste della vita e della cultura americana, per le quali, al contrario, gli espressionisti astratti manifestarono un rumoroso e violento dissenso. Poiché la 'pop-art' è, in genere, troppo fredda per mostrarsi sovversiva nei confronti dell'ordine stabilito, regola alla quale l'erotismo esplicito di Tom Wesselman nella sua serie *Great American Nude* fa eccezione, essa è stata pure accusata di essere il 'neo-dada' dell'era del benessere. Il pubblico appartenente all'avanguardia più anziana, sentendo minacciati i suoi valori, ovviamente preferiva un giudizio più limitato riguardo alla 'pop-art' che avrebbe dovuto essere intesa come una semplice forma di divertimento.

La 'pop-art' fece la sua drammatica prima apparizione in pubblico con le mostre personali di Roy Lichtenstein, James Rosenquist, Andy Warhol, Tom Wesselman e Robert Indiana. Molti artisti e quasi tutti i critici sperimentarono uno choc offensivo e si trovarono di fronte ad una figurazione che a malapena sembrava trasformare quanto traeva dalle sue fonti; i fumetti umoristici (Lichtenstein); i cartelloni pubblicitari (Rosenquist); marchi di fabbrica, singoli o a ripetizione (Warhol); montaggi in alto rilievo di prodotti alimentari (Wesselman). Le mire più ovviamente estetiche di Robert Indiana, che si serviva di segni ortografici e simboli direzionali, furono considerate di poco più accettabili, perché anche lui prelevava dalla figurazione commerciale o industriale, esplicita e comune, indicazioni stradali, volti di tipo meccanico. La banalità dell'immagine trovava riscontro, come fonte provocatoria, nell'apparente indifferenza degli artisti della 'pop-art', verso ogni forma di trattamento individuale e nel loro entusiasmo, privo di senso critico, per qualsiasi tipo di pubblicità commerciale visiva, disadorna e stereotipata. La registrazione meccanica di figure, secondo lo stile corrente del disegno commerciale, era in netta opposizione con le accumulate riserve di conoscenze, di capacità artigiane, e di espressività pittorica raccolte da una generazione precedente. L'altra cultura artistica era pronta ad accettare una certa crudezza espressionistica nell'arte, ma la levigatezza scorrevole le era intollerabile e veniva considerata un meretricio.

Con l'andar del tempo, tuttavia, è apparso chiaro che gli artisti della 'pop-art' erano innovatori genuini e potenti e che la loro opera può persino venire ricollegata, in quanto a stile, alla maniera corrente dell'arte 'hard-edge' e di quella di astrazione ottica. È significativo che l'interesse da essi dimostrato per il mezzo di massa può ora venire concepito come selettivo e discriminatorio, anziché una servile imitazione o una semplice documentazione. I mezzi di comunicazione vengono considerati alla stregua di un procedimento dinamico e un'ambientazione ricca di metafore e significati artistici, piuttosto che fonte di stile, di contenuto e di tecniche stereotipate da accettarsi senza spirito critico e riprodotti meccanicamente. Dilatando a misura monumentale un dettaglio, Rosenquist scoprì delle possibilità iconiche nel frammento di un'insegna commerciale e creò confuse, alternate letture dei suoi dipinti a scomparti. Sono quindi collegati sia all'ambigua leggibilità dell'arte astratta contemporanea, sia alla voluta confusione del Surrealismo. Lichtenstein frena la portata dell'immagine della vignetta ingrandendola; in effetti, esagerando i disegni a puntini secondo il procedimento Benday, in modo cospicuo come parte della sua forma, obbliga la nostra attenzione a fermarsi su questo mezzo e procedimento, indicandolo come il suo contenuto principale. La sua arte 'tratta' dell'arte e dello stile, nonostante il suo aspetto meccanico. Un altro tipo di distanziamento fu realizzato da Lichtenstein nella sua scelta di soggetti comici un po' passati di moda. La vita moderna accelera la sensazione del trascorrere del tempo, e ci rende più acutamente consci dei mutamenti nello stile, negli avvenimenti e nell'interesse ossessionante, dimostrati nella vita pubblica, per tutto ciò che è mutamento o novità. Queste intuizioni si trovano pure al centro di gran parte della 'pop-art'. I mezzi di comunicazione sono diventati un veicolo collettivo di storia fatta all'istante e fanno sì che il tempo e lo spazio subiscano delle contrazioni che li trasformano in un continuo, confuso, presente per cui anche il passato recente assume l'aspetto di un remoto periodo archeologico.

Le immagini ripetitive di Warhol di scontri automobilistici, di stelle del cinema, di scatolame, sono colte a volo dalla marcia di avvenimenti che costituiscono notizie, dal giornaliero corteo delle celebrità e dal ciclo di vita di beni di consumo e di cibi lavorati. L'austerità delle sue forme, fisse e simbolizzate, si contrappone all'accelerata transitorietà dell'effimerità giornalistica. Warhol ha pure costruito scatoloni in legno dipinto per l'imballaggio di saponi e di cibarie, accatastandoli ad imitazione di magazzini di provviste dei supermarkets. Questi oggetti esistono in virtù di una leggerissima sfumatura contraddittoria tra l'oggetto stesso e le sue simulazioni e il calcolo accurato fatto dall'artista circa le diverse reazioni del pubblico a ciascuna di esse. Warhol distrugge la credibilità visiva e funzionale di un contenitore d'immagazzinamento, la cui scritta, immagine e forma conosciamo a memoria, ma che ci rifiutiamo di accettare nel contesto dell'arte. La realtà originale e il suo facsimile in legno dipinto vagano per un istante attraverso la nostra mente, in una specie di caduta libera priva di qualsiasi connessione normale. Questo non è che un altro modo ingegnoso ed efficace per chiarire al pubblico le alienazioni rudimentali del procedimento artistico e per invitarlo a partecipare a tale procedimento. Così, come gli impressionisti mischiavano i colori sulla retina dell'occhio dell'osservatore per ottenere una maggiore immediatezza, altrettanto fa Warhol mischiando un noto detergente o prodotto in scatola e il loro facsimile artificiale nella mente, liberando un'immagine già preparata dal contesto della vita per farla passare nel contesto dell'arte.

I caratteri alfabetici e i segni di Robert Indiana sono disposti secondo termini pittorici più tradizionali, ma si giostrano su duplici serie di responsi, sia riguardo all'informazione verbale che visuale. Il suo vivace guizzo ottico, le dissonanze, le forme emblematiche scintillano, intricano e districano strutture colorate secondo una maniera astratta alla quale può venire attribuita una onorata paternità in Barnett Newman, Albers e Vasarely. Le forme precise e il colore ottico di Indiana possono venire anche più direttamente associate all'opera del suo contemporaneo Ellsworth Kelly. Le parodie di Lichtenstein nello stile di Picasso, come i suoi fumetti comici e i suoi tramonti astratti e le sue 'pennellate', combinano energicamente un estetismo intenso con il tipo di sensibilità meccanica derivata dalla 'low art' (arte bassa) di cui egli ha ora fermamente stabilita la germinabilità per la 'high art' (arte elevata). La monumentalità, il potere formale e la semplicità essenziale della 'pop-art' la ricollegano direttamente alle forme più ambiziose dell'arte astratta contemporanea, anziché ad un realismo aneddotico di carattere più tradizionale e più modestamente formale.

Di grande interesse sono le fonti da cui la 'pop-art' attinge i suoi mezzi. Lo schermo TV, le esagerazioni pubblicitarie, le confuse telefoto, i fumetti comici, tutti provvedono immagini che si possono definire relativamente primitive e di bassa lega, il cui carattere, sotto il profilo di 'mezzo' è quindi più enfatico e visibile. Marshall McLuhan, brillante analista dell'impatto rivoluzionario sulle percezioni umane, dei mezzi di comunicazione di massa ha osservato che una simile figurazione di 'bassa lega', povera di contenuto, povera d'informazione partecipa alla stessa natura del concetto del 'fatelo da soli'. La figurazione e le norme convenzionali dalle quali attinge la 'pop-art', sono al contempo fredde e dinamiche, rozze e non rifinite, nonostante il loro aspetto di prodotto lavorato meccanicamente. Richiedono attività e compartecipazione da parte del pubblico e ricordano costantemente il loro carattere di procedimento espressivo. Da qualche parte, nello sfondo della 'pop-art', è insita una consapevolezza critica della tendenza dei mezzi di massa verso la ripetibilità e l'uniformità e la sensazione che il grande flusso di duplicati e di finzioni nei mezzi compromette il concetto stesso dell'originalità. Il processo di riproduzione, quindi, è parte viva del contenuto intellettuale assegnato alla 'pop-art'.

Come osserva il sociologo Daniel Boorstin l' 'originale' ha acquisito uno status tecnico ed esoterico come semplice prototipo o matrice dalla quale possono essere fatte le copie. Un pubblico che accetta benevolmente le innumerevoli riproduzioni dei *Girasoli* di Van Gogh, può trovarsi assolutamente impreparato a dare il responso individuale preteso dall'oscuro e quasi sconosciuto originale. La rivoluzione provocata dalla stampa e la più recente inondazione di riproduzioni pittoriche hanno contribuito a dissipare la nozione che l'unicità era indispensabile per l'arte ed ha così introdotto, insieme ad altri elementi di cultura di massa urbana, una nuova alternativa di 'bassa' tradizione popolare nei confronti dell'arte elevata. Gli artisti della 'pop-art', tuttavia, non si limitano a ripetere le forme e il contenuto dei mezzi di massa, ma ne scelgono alcuni aspetti più significativi e poi li trasformano. Le superfici a colori di Rothko, Still e Newman e le loro ambiguità percettive, l'accento che in gran parte dell'arte moderna viene posto sull' 'ambientazione', cominciando con De Kooning e con maggior enfasi ancora da Rauschenberg, Johns e Oldenburg, la loro standardizzazione del trattamento individuale, tutti questi fattori hanno aperto la via a nuove e vitali assimilazioni delle forme stereotipate dell'arte commerciale e popolare. Un altro precedente affascinante e prettamente americano che è apparso da qualche tempo ormai, nell'arte di questo paese, anticipando l'incorporazione di cliché visivi e dei caratteri alfabetici, è il soggetto emblematico della standardizzazione: il vivace, impertinente stile vernacolo di Stuart Davis che fuse così efficacemente nella propria arte il cubismo di Leger e le superfici di vita americana.

Non più specchio fedele del mondo della cultura popolare, la 'pop-art' ha perso terreno come stile di gruppo dopo il 1965. I vari artisti associati ad essa, d'altra parte, sono diventati sempre più ricchi di risorse, anche se sembra abbiano perso contatto con l'impulso originale che li aveva ispirati. Oldenburg, Lichtenstein, Indiana, Warhol, Wesselman e Dine hanno tutti continuato a sviluppare e ad espandere i loro mondi creativi in modi vari e sorprendenti. Le forme 'morbide' di Oldenburg esercitano ora un forte influsso sulla scultura astratta contemporanea; i surrogati, le superfici commerciali e i tessuti sintetici della 'pop-art' hanno influito direttamente su altre forme espressive astratte, specialmente sulla scultura e hanno incoraggiato nuovi esperimenti di inter-mezzi. In una reversione del processo d'influsso, le forme scultoree, geometriche e 'minimaliste' correnti e popolari, hanno altresì influenzato molti artisti della 'pop-art'. Esiste, infatti, una vivace azione reciproca tra le maniere apparentemente antitetiche dell'Astrattismo e del rappresentativismo della 'pop-art', che è di mutuo beneficio. Se questo è vero, e i risultati sono altrettanto espansivi e significativi quanto si crede, allora è ovvio che la durabilità degli artisti della 'pop-art', se non del loro stile di gruppo originale, si basa su valori formali sani. In America la 'pop-art' è sempre stata qualcosa di assai più serio di un rappresentazionalismo superficiale o di un giornalismo comico, di cui l'accusavano i suoi detrattori. Tra gli artisti della 'pop-art' sono compresi due dei più grandi innovatori americani di oggi: Oldenburg e Lichtenstein. Come si è verificato tanto spesso nel passato, l'opera di questi due è trascesa assai oltre i limiti espressivi apparentemente circoscritti del movimento in genere che in origine ispirò la loro opera. Gli impegni sui quali si basa la 'pop-art' non sono più sufficienti a descrivere l'opera di questi due artisti, né la loro inventività o la loro formale maestria.

Oggi, la pittura americana sta subendo, si direbbe, la crisi più grave che abbia conosciuto dopo la guerra. Gli artisti del 'color-field', i creatori del 'shaped-cavans' i 'minimalisti' e gli artisti della 'pop-art' soffrono tutti della stessa malattia: l'esaurimento di quelle convenzionalità specializzate che definiscono le varie maniere del dipingere. Le distinzioni non sono più valide; ciascuna di queste si sta rapidamente trasformando in una versione ibrida dell'altra e la scultura in particolare, con le sue più severe riduzioni geometriche, ha dimostrato di esercitare il più potente influsso nello stabilire precedenti formali e nuove convenzionalità. La pittura si è avvicinata sempre più alla scultura, e, così facendo, ha abbandonato molto del suo potere e molte delle sue prerogative. Ha fornito un resoconto più letterale della superficie dipinta di un oggetto, senza tuttavia necessariamente diventare una forma chiaramente, liberamente scultorea. D'altra parte, i pittori che iniziarono la carriera interamente dediti all'arte, si sono ora posti sulla strada della sperimentazione radicale dei mezzi con materiali che vanno dalla plastica alla luce proiettata. Tutte queste iniziative sembrano comprendere una campagna deliberatamente voluta per smaterializzare e sconsacrare l'oggetto della pittura. Tra queste torsioni radicali e devastatrici, in direzioni opposte, l'arte del dipingere non ha mostrato ovviamente di seguire una direttiva decisa e persistente, secondo una data maniera, eccezion fatta forse di un piccolo gruppo di 'color painters' (pittori di colore), e neppure una grande stabilità.

Vi sono, tuttavia, alcuni indizi, come risulta dall'ultima mostra personale di Larry Poons e la continua germinabilità di lirismo astratto come quello di Helen Frankenthaler, di un lieve ma non decisivo risveglio a favore di una pittura 'pittorica'. Oggi, però, la tendenza generale è di cercare delle definizioni radicali di mezzi vari, di saggiare il contenuto di questi, i loro valori, le loro capacità espressive. In base a tali confronti il dipingere, come tale, è alla ricerca di nuovi aggiustamenti sia con le strutture tri-dimensionali da un lato, sia, dall'altro, sperimentando con l'inter-mezzi e nuovi materiali; ambedue queste maniere distruggono in effetti le tradizionali caratteristiche del dipingere di concretezza e di illusionismo. Nonostante le capacità inventive e l'importanza di pittori come Johns, Noland Kelly, Stella, Lichtenstein e pochi altri, per il momento si è costretti a concludere, sull'evidenza dei fatti, che le espressioni di avanguardia più vitali tra i più giovani sono da trovarsi nel campo della scultura. Tony Smith, Judd, Morris, Oldenburg e, forse, Duchamp, hanno sostituito nell'arte americana Johns, Noland, Stella e Kelly, come fonti di nuovi impulsi e di idee germinative vitali. L'arte, in America, fiorisce ancora, sotto forma di scultura, di arte concettuale, ma la pittura come tale sta affrontando una crisi mortale.

TAVOLE

'Action Painting', espressionismo astratto

Tav. I - Arshile Gorky: Alberi di mele (1943-46 - pastello - cm 117 × 132) - Collezione privata

Tav. II - Hans Hofmann: *La nascita del Toro* (1945) - Guilford (Connecticut), Collezione Fred Olsen

Tav. III - *Jackson Pollock: Eyes in Heat (1946 - olio su tela - cm 137 × 110) - Venezia, Fondazione Peggy Guggenheim*

Tav. IV - Jackson Pollock: *Numero 1* (1948) - New York, The Museum of Modern Art

Tav. V - Jackson Pollock: *Pali blu* (1953) - New York, Collezione Ben Heller

Tav. VI - Willem de Kooning: *Angeli rosa* (1945 ca. - olio e carboncino su tela - cm 130 × 100) - Beverly Hills, Collezione Mr. e Mrs. Frederick R. Weisman

Tav. VII - Willem de Kooning: Donna (1949 - olio, smalto e carboncino su tela - cm 153 × 121) - Hanover (Pennsylvania), Collezione Mr. e Mrs. Boris Leavitt

Tav. VIII - William Baziotes: *Ciclope* (1947 - olio su tela - cm 122 × 102) - Chicago, Art Institute

Tav. IX - Robert Motherwell: *L'imperatore della Cina* (1947) - Provincetown, Chrysler Art Museum

Tav. X - Willem de Kooning: Lo scavo (1950 - olio e vernice su tela - cm 203,5 × 254,5) - Chicago, Art Institute, Gift of Mr. Edgar Kaufmann, Mr. and Mrs. Noah Goldowsky

Tav. XI - Willem de Kooning: Due donne in campagna (1954 - olio, smalto e carboncino su tela - cm 115 × 102,2) - Collezione Joseph H. Hirshhorn

Tav. XII - Willem de Kooning: Bianco e nero, Roma D. (1959 - smalto su fogli di carta tagliati e incollati, montati su tela - cm 98 × 70) - New York, Collezione Marie Christophe Thurman

Tav. XIII - Franz Kline: Monitor (1956 - olio su tela - cm 200 × 294) - Milano, Collezione privata

Tav. XIV - Stuart Davis: *Qualcosa sulla palla 8* (1953-54 - olio su tela - cm 56 × 45) - Philadelphia, Museum of Art

Tav. XV - Mark Tobey: *Sopra la terra* (cm 98 × 75) - Chicago, Art Institute

Simbolismo astratto

Tav. XVI - Clyfford Still: Pittura (1949 - olio su tela - cm 200 × 170) - Baltimora, Collezione Dr. e Mrs. Israel Rosen

Tav. XVII - *Mark Rothko: Pittura n° 26 (1947) - New York, Collezione Mrs. Betty Parsons*

Tav. XVIII - Mark Rothko: *Composizione dorata* (1949 - cm 168 × 105) - *Collezione privata*

Tav. XIX - Ad Reinhardt: *Pittura astratta gialla* (1947 - cm 100 × 80) - New York, Collezione Mrs. Ad Reinhardt

Tav. XX - Barnett Newman: Abisso euclideo (1946-47 - cm 70 × 55) - Meriden (Connecticut), Collezione Mr. e Mrs. Burton Tremaine

Tav. XXI - Barnett Newman: *Dionysius* (1949 - olio - cm 173 × 120) - New York, Collezione Annalee Newman

Tav. XXII - Barnett Newman: *Vir heroicus sublimis* (1950-51 - olio - cm 240 × 540) - New York, Collezione Ben Heller

Tav. XXIII - Mark Rothko: *Viola e giallo su rosa* (1954 - cm 212 × 172) - Milano, Collezione privata

Tav. XXIV - Adolf Gottlieb: W. (1954 - olio e sabbia su tela) - New York, The Solomon R. Guggenheim Museum

Tav. XXV - *Adolf Gottlieb: Terra rosa (1959 - olio su tela - cm 152 × 92) - Brescia, Collezione Cavellini*

Tav. XXVI - Ad Reinhardt: Pittura astratta (1956 - cm 200 × 107,5) - New Haven, Yale University Art Gallery

Tav. XXVII - Clyfford Still: Quadro (1957 - olio - cm 289 × 408) - Basilea, Kunstmuseum

Verso un nuovo astrattismo

Tav. XXVIII - *Sam Francis: Nero brillante (1958) - New York, The Solomon R. Guggenheim Museum*

Tav. XXIX - Philip Guston: Duetto (1961) - New York, The Solomon R. Guggenheim Museum

Tav. XXX - Joan Mitchell: *Cercando un ago* (1959 - olio su tela - cm 116 × 89) - Milano, Collezione privata

Tav. XXXI - Larry Rivers: Piove, Anita Huffington (1957 - olio - cm 260 × 213,5) - Washington, Courtesy of National Collection of Fine Arts, Smithsonian Institute, S.C. Johnson Collection

Tav. XXXII - Helen Frankenthaler: *Montagne e mare* (1952) - New York, Metropolitan Museum

Tav. XXXIII - Helen Frankenthaler: La baia (1963 - acrilico su tela) - Detroit, Institute of Arts

Tav. XXXIV - Morris Louis: *Colonne abbinate II* (1960-61) - Washington, Collezione Mrs. Morris Louis (per gentile concessione della André Emmerich Gallery New York)

Tav. XXXV - Kenneth Noland: *Zona tropicale* (1964 - colori acrilici su tela) - Proprietà dell'artista

Tav. XXXVI - Jules Olitski: *Surface cause* (1968 - colori acrilici su tela - cm 117 × 282) - New York, Collezione Alexis Gregory

Tav. XXXVII - Ellsworth Kelly: Blu verde (1968 - olio su tela - cm 228 × 228) - New York, Proprietà dell'artista (per gentile concessione della Sidney Janis Gallery)

Tav. XXXVIII - Frank Stella: Marrakech (1964 - pittura fluorescente su tela - cm 192,5 × 192,5) - New York, Collezione Mr. e Mrs. Robert C. Scull

Tav. XXXIX - Frank Stella: Hatra II (1968 - cm 300,5 × 600,5) - St. Louis, Collezione Joe Helman

Tav. XL - *Josef Albers: Omaggio al quadrato (1962 - olio su tela - cm 61 × 61) - New Haven, Collezione Carrol Janis*

Tav. XLI - Richard Anuskiewicz: Cadmio giallo (1967 - liquitex su legno - cm 60 × 60) - New York, Courtesy Sidney Janis Gallery

Tav. XLII - Larry Zox: Scissors Jack Series - New York, Courtesy Kornblee Gallery

Tav. XLIII - Larry Poons: Pittura (1968 - colori acrilici su tela - cm 275 × 217,5) - New York, Leo Castelli Gallery

Tav. XLIV - Raymond Parker: Rosa (1968 - cm 235 × 270) - New York, proprietà dell'artista

Junk-art e Pop-art

Tav. XLV - Robert Rauschenberg: Coprifuoco (1958 - tecnica mista su tela) - New York, Collezione Ben Heller

72

Tav. XLVII - Robert Rauschenberg: Tempo 3 (1961 - tecnica mista su tela) - New York, Collezione Famiglia Harry N. Abrams

Tav. XLVI - Robert Rauschenberg: Letto (1955 - tecnica mista - cm 185 × 77,5) - New York, Collezione Leo Castelli

Tav. XLVIII - Jasper Johns: *Dalla finestra* (1959 - encausto su tela) - New York, Collezione Mr. e Mrs. Robert C. Scull

Tav. XLIX - *Jasper Johns: Tuffatore (1962 - olio su tela con oggetti) - Byram (Connecticut), Collezione Mrs. Vera G. List*

Tav. L - *Jasper Johns: Campo (1963-64 - olio su tela con oggetti) - Proprietà dell'artista*

Tav. LI - Jim Dine: *Scarpa* (1961 - olio su tela) - Proprietà dell'artista

Tav. LII - Roy Lichtenstein: *Ragazza che annega* (1963 - olio e magma su tela) - Seattle (Washington), Collezione Mr. e Mrs. C. B. Wright

Tav. LIII - Roy Lichtenstein: *Senza titolo, paesaggio* (1964 - plastica e collage su carta - cm 40,5 × 61) - Brescia, Collezione Cavellini

Tav. LIV - Roy Lichtenstein: Grande pittura 6 (1965) - New York, Collezione Mr. e Mrs. Robert C. Sculi

Tav. LV - Tom Wesselman: *Vasca da bagno, collage n. 3* (1963 - materiali diversi - cm 210 × 265 × 45) - Parigi, Galerie Ileana Sonnabend

Tav. LVI - James Rosenquist: Pulsanti (1960-61) - Milano, Collezione privata

Tav. LVII - James Rosenquist: Azione capillare I - Milano, Collezione privata

Tav. LVIII - Andy Warhol: Coca Cola verde (1962 - serigrafia su tela) - New York, Whitney Museum

Tav. LIX - Robert Indiana: *Serigrafia senza titolo* - Collezione privata

Tav. LX - Andy Warhol: *Grandi fiori* (1963) - Torino, Galleria Sperone

I PROTAGONISTI

Fotografia di Josef Albers

WILLIAM BAZIOTES
Nasce l'11 giugno del 1912 a Pittsburg. Si trasferisce nel 1933 e per tre anni studia alla National Academy of Design di New York. Si dedica poi all'insegnamento e alla pittura, dipingendo nature morte e paesaggi, ma nel 1939 il suo stile si evolve e due anni dopo è decisamente astratto. Due tele, completate nel 1942, sono esposte a New York in una mostra di dipinti surrealisti.

Nel 1948, con Robert Motherwell, Barnett Newman e Mark Rothko, fonda a New York la scuola Subjects of the Artists, che in seguito diviene il circolo (The Club) in cui gli artisti di avanguardia si riuniscono ogni venerdì. Insegna alla Brooklyn Museum Art School e alla New York University dal 1949 al 1952; da quest'anno è all'Hunter College di New York, città in cui abita.

Ha partecipato ad esposizioni collettive negli Stati Uniti e fuori; sue mostre personali sono state organizzate al Peggy Guggenheim di New York, alla Galerie Maeght di Parigi e alla Kootz Gallery.

JOSEF ALBERS
Nasce a Bottrop, in Germania, il 19 marzo del 1888. Studia a Berlino, a Essen e all'Accademia di Monaco. Dal 1920 al 1923 frequenta la Bauhaus di Weimar ed in seguito fino al 1933 vi insegna. Chiusa dal nazismo la scuola, Albers si trasferisce in America come i famosi architetti della Bauhaus, Walter Gropius e Ludwig Mies van der Rohe. Similmente al lavoro di questi architetti, i suoi dipinti sono severi, puliti.

È un grande educatore: dal 1933 al 1949 insegna al Black Mountain College e dal 1950 al 1960 alla Yale University; diventa cittadino americano nel 1939. Disegna anche mobili, creando la prima sedia laminata curva, e nel 1950, insieme alla moglie, apre un laboratorio tessile. Vive a New Haven.

MILTON CLARK AVERY
Nato ad Altman, New York, nel 1893, cresce ad Hartford. Nel 1926 sposa Sally Michel, illustratrice e nel 1932 nasce la figlia March; da questo momento molti dipinti rappresentano la figlia e la sua famiglia.

Dalla sua prima personale a New York, nel 1928, all'Opportunity Gallery, ha esposto regolarmente partecipando anche a mostre collettive in musei. Il culmine di questa fase della sua vita è raggiunto con l'esposizione retrospettiva organizzata dall'American Federation of Arts al Whitney Museum di New York nel 1960, mandata in seguito in altre numerose città.

Abita a New York e viaggia frequentemente: visita per la prima volta l'Europa nell'estate del 1952. Milton Clark Avery muore a New York nel 1965.

JAMES BROOKS
Nasce il 18 ottobre 1906 a St. Louis (Missouri); a dieci anni si trasferisce a Dallas nel Texas dove più tardi frequenta la Southern Methodist University. Nel 1926 si trasferisce a New York e studia alla Art Students League. Si dedica alla pittura e nel 1938 dipinge diversi affreschi per la Queensborough Public Library e per l'aeroporto La Guardia, nel 1942. Per tre anni, militare nell'esercito americano, viene mandato in Egitto e in Asia Minore. Al ritorno insegna alla Columbia University e al Pratt Institute di Brooklyn, dal '48 ad oggi. Nel 1952 riceve il quinto premio alla Pittsburg In-

William Baziotes: Senza titolo (1946 - olio su tela) - Los Angeles, Collezione Mrs. Barbara R. Poe

Fotografia di Willem De Kooning

ternational Exhibition of Painting al Carnegie Institute di Pittsburg.
Abita a New York e per qualche anno (1955-56) è critico alla Yale University di New Haven.

STUART DAVIS
Nato a Philadelphia il 7 dicembre 1894. Suo padre, Edward Wyatt Davis, 'Art editor' di « Philadelphia Press » impiega come illustratori alcuni eminenti artisti come John Sloan, William Luks, Robert Henri, William Glackens. A sedici anni Stuart Davis studia alla Henri Art School.
Nelle sue avventurose ricerche per nuovo materiale frequenta gli ambienti del jazz di Manhattan's San Juan Hill. Le improvvisazioni della « hot music » americana rappresentano per lui l'essenza dello spirito creativo e in questo periodo (1913) l'unica reale moderna espressione in America.
Espone cinque suoi acquerelli all'Armory Show del 1913 ed esegue disegni per Harper's Weekly. Nel 1917 organizza la prima personale alla Sheridan Square Gallery di New York. Dopo viaggi all'Avana, Mexico, Parigi, nel 1931 incomincia l'insegnamento alla Art Students League di New York e l'anno seguente esegue un murale per Radio City Music Hall. Nel 1940 insegna alla The New School for Social Research. Partecipa ad una retrospettiva al Museum of Modern Art (1945) e alla Biennale di Venezia del 1956. Risiede ora a New York.

WILLEM DE KOONING
Nasce a Rotterdam nel 1904. Studia pittura e decorazione e dal 1919 al '24 frequenta i corsi serali dell'Académie des Beaux-Arts di Rotterdam. Nel 1927, in America ormai da un anno, prende uno studio a New York; in questo stesso periodo incontra Gorky e si stabilisce tra loro un forte legame di amicizia e di interessi artistici, che durerà fino alla morte di Gorky nel 1948.
Nel 1936 il Museum of Modern Art include De Kooning nell'esposizione della Federal Art Project; nel 1939 esegue un affresco per l'Esposizione internazionale di New York; dopo il successo ottenuto con la sua prima personale nel 1948, De Kooning insegna al Black Mountain College e per ultimo (1952-53) alla Yale University. Si stabilisce definitivamente a Long Island, nella primavera del 1963, abbandonando l'immenso e luminoso atelier di Broodway. Nell'aprile del 1968 viene organizzata una grande retrospettiva delle sue opere.

Fotografia di Stuart Davis eseguita nel suo atelier davanti a suoi quadri

Willem de Kooning: Angeli caduti (1965 - matita e olio su pergamena) - New York, Allan Stone Gallery

SAM FRANCIS

Sam Francis nasce a San Mateo, California, nel 1923; frequenta la University of California. Dal 1943 al '45 è aviatore nell'esercito americano; ritornato in America, nel 1949 consegue il diploma di Bachelor of Arts. Nel 1950 è in Francia dove inizia una vita di lavoro e di viaggi: da allora abita a Parigi e viaggia ad Aix-en-Provence, India, Siam, Hong-Kong, Tokyo, Mexico, New York.
Nel 1956 è incluso nella Twelve Americans, esposizione tenuta al Museum of Modern Art e nel 1958-59 è tra gli otto pittori scelti per la mostra The New American Painting.
Suoi affreschi sono alla Kunsthalle di Basilea e alla scuola di decorazione floreale di Tokyo. Sam Francis ha stabilito la sua residenza a Parigi.

ARSHILE GORKY

Nel 1905 nasce a Bayotz Dzore, nell'Armenia turca. Durante la prima guerra mondiale si trasferisce in Transcaucasia e studia poi al Politecnico di Tiflis.
Nel 1920 è negli Stati Uniti, dapprima a Watertown, nel Massachusetts, poi a Providence, dove frequenta i corsi serali della Rhode Island School of Design. Tre anni dopo a Boston si iscrive alla New School of Design. Arriva a New York nel 1925 e, dopo aver frequentato per breve tempo la National Academy of Design, dal 1926 al 1931 insegna alla New York School of Design.
Nel 1929 conosce Stuart Davis e nel '33 De Kooning: dell'anno seguente è la sua prima mostra personale. Dipinge gli affreschi per l'aeroporto di Newark, nel New Jersey e per il Palazzo dell'Aviazione alla Fiera Mondiale di New York dal 1936 al 1939. Conosce André Breton che nel 1945 presenta una sua importante personale a New York. È un appassionato studioso dei grandi maestri del passato e del presente, frequenta gallerie e musei e si dichiara favorevole all'arte d'avanguardia.
Muore suicida nel 1948 a Sherman, nel Connecticut, dove si è stabilito da qualche anno, depresso da disgrazie capitategli negli ultimi due anni.

ADOLPH GOTTLIEB

Adolph Gottlieb nasce a New York il 14 marzo 1903. Studia con John Sloan e Robert Henri alla Art Students League nel 1920.
Nel 1921-22 lavora indipendente a Parigi, Berlino e Monaco. Fonda con Rothko, nel 1925, a New York il gruppo The Ten.
Nel 1939 dipinge un affresco per l'ufficio postale di Yerington, su commissione del Dipartimento del Tesoro.
In seguito disegna i veli per il tabernacolo della Sinagoga di Milburn e del tempio di Springfield. Partecipa ad esposizioni collettive, tra queste The New Decade che dal Whitney Museum fu presentata poi a San Francisco, Los Angeles, Colorado Springs e St. Louis, ed organizza parecchie personali. Gottlieb collabora con articoli a «Art Journal».

Arshile Gorky: Disegno (1947) - Parigi, Collezione Lam

Fotografia di Philip Guston nel suo atelier

PHILIP GUSTON

Nato il 27 giugno 1913 a Montreal (Canada), cresce a Los Angeles. Autodidatta, frequenta per un brevissimo periodo l'Otis Art Institute di Los Angeles.
Dopo un soggiorno di circa un anno in Mexico, nel 1935 si trasferisce a New York dove, fino al 1940

lavora per la Federal Art Project, dipingendo affreschi per la Fiera Mondiale di New York, per il Queensbridge Housing Project. Nel 1947, ottenuti una borsa di studio della John Simon Guggenheil Foundation, il Prix de Rome e una borsa dell'American Academy of Arts and Letters, visita l'Italia, la Spagna e la Francia. Dal 1941 insegna dapprima alla State University of Iowa, poi alla Washington University a St. Louis e dal 1950 alla New York University.
Collabora anche a riviste d'arte con articoli e illustrazioni. Philip Guston risiede a New York.

HANS HOFMANN
Nato nel 1880 in Baviera, si trasferisce a Parigi nel 1904 e vi rimane, per dipingere, fino al 1914; proprio nel periodo dello sviluppo del Fauvismo e del Cubismo. Specialmente Matisse e Delaunay, coi quali lavora spesso, influenzano in modo notevole la sua opera.
Nel 1915 Hofmann apre una scuola d'arte a Monaco, dove insegna fino al 1931 e continua poi negli Stati Uniti. Diviene cittadino americano e, nel 1934, fonda a New York la scuola che porta il suo nome. Da questo momento la sua importanza

Fotografia di Hans Hofmann, eseguita nel 1962 nel suo atelier

Ellsworth Kelly: Senza titolo (disegno) - New York, Collezione Ellsworth Kelly

come insegnante tende a mettere in ombra l'importanza dei suoi dipinti. Dopo una prima esposizione delle sue opere tenutasi in Germania nel 1910, egli incomincia ad esporre a New York solo nel 1944. Hans Hofmann risiede a New York.

ELLSWORTH KELLY
Nasce a Newburg, New York, nel 1923. Studia alla Boston Museum of Fine Arts School; nel 1948 si reca a Parigi dove dapprima studia all'Ecole des Beaux-Arts e poi vive e lavora fino al 1954. Torna a New York e, nel 1956, tiene la sua prima personale americana alla Betty Parsons Gallery di New York. Partecipa a numerose esposizioni, tra cui la Biennale di Venezia del 1966. Abita a New York.

FRANZ KLINE
Nasce il 23 maggio 1910 a Wilkes-Barre, in Pennsylvania, e passa l'infanzia a Philadelphia, dove frequenta il Girard College. Dal 1931 frequenta la School of Fine and Applied Arts alla Boston University: suoi insegnanti sono Henry Heusche, Frank Durkee e John Crosman, che influenzeranno notevolmente, anche in seguito, il suo modo di intendere la pittura.
Tra il 1937 e il '38 è a Londra dove studia all'Heatherly's Art School.
Tornato a New York, dal 1942 al '45 espone alla National Academy of Design di New York; nello stesso tempo Kline ha un crescente interesse per le opere di alcuni pittori moderni come Avery, Hartley, Tomlin, De Kooning. In seguito, dal 1952, si dedica all'insegnamento, dapprima al Black Mountain College (North Carolina), poi al Pratt Institute di Brooklyn e alla Philadelphia Museum School of Art.
Partecipa ad importanti esposizioni e nel 1960 alla Biennale di Venezia. Kline abita a New York.

ROBERT RAUSCHENBERG

Nasce a Port Arthur, nel Texas, nel 1925. Compie i suoi studi al Kansas City Art Institute ed in seguito frequenta l'University of Texas. Dopo aver passato alcuni anni nella Marina, nel 1947 si reca a Parigi dove frequenta l'Académie Julien. Tornato in America nel '48-49 è al Black Mountain College, North Carolina, con Josef Albers, poi all'Art Students League di New York; studia anche con Robert Motherwell e Franz Kline. Visita l'Italia e il Nord Africa e torna a New York nel 1953 definitivamente. In questi anni tiene tre personali, a New York, Firenze e Roma, e partecipa ad esposizioni internazionali (Biennale di Sao Paulo, Esposition International du Surréalisme di Parigi, 1959-1960). Dal 1955 disegna anche scene e costumi per la Merce Cunningham Dance Company.

Rauschenberg usa qualsiasi oggetto (utensili da cucina, cravatte, animali impagliati) e lo mette in contatto con vari elementi pittorici. Queste configurazioni si uniscono in fluida omogeneità.

AD REINHARDT

Nasce a Buffalo, New York, il 24 dicembre 1913. Studia storia dell'arte alla Columbia University con Meyer Schapiro.

Nel 1936-37 lavora con Carl Holty e Francis Criss alla National Academy of Design. Nel 1944 organizza la prima personale alla Artists Gallery e diventa reporter di un giornale.

Dopo aver passato gli anni 1944-45 in marina, Reinhardt dal 1946 al '50 torna allo studio della storia dell'arte e frequenta i corsi con Alfred Salmony e Guido Schoenberger alla New York University.

Nel 1947 è assistente al Brooklyn College e da allora insegnerà anche alla California School of Fine Arts (estate del 1950), alla University of Wyoming (estate del 1951) e alla Yale University.

Fotografia di Ad Reinhardt eseguita nel suo atelier davanti a suoi quadri

Ad Reinhardt: Quadouptych (1959) - New York, Collezione Mrs. Ad Reinhardt

LARRY RIVERS

Nato a New York nel 1923, passa gli anni 1942-43 nell'aviazione americana; al ritorno studia alla Juilliard School of Music e si unisce, poi, per due anni a una orchestra di jazz come saxofono baritono. Incomincia a dipingere e studia con Hans Hofmann (1947-48) e più tardi alla New York University.

Viaggia in Inghilterra, Francia, Italia ed inizia anche a scolpire. Nel 1953 è a Southampton (Long Island) dove continua a dipingere e a scolpire figure a larghi piani; e qui risiede attualmente.

Fotografia di Larry Rivers mentre lavora ad una sua composizione

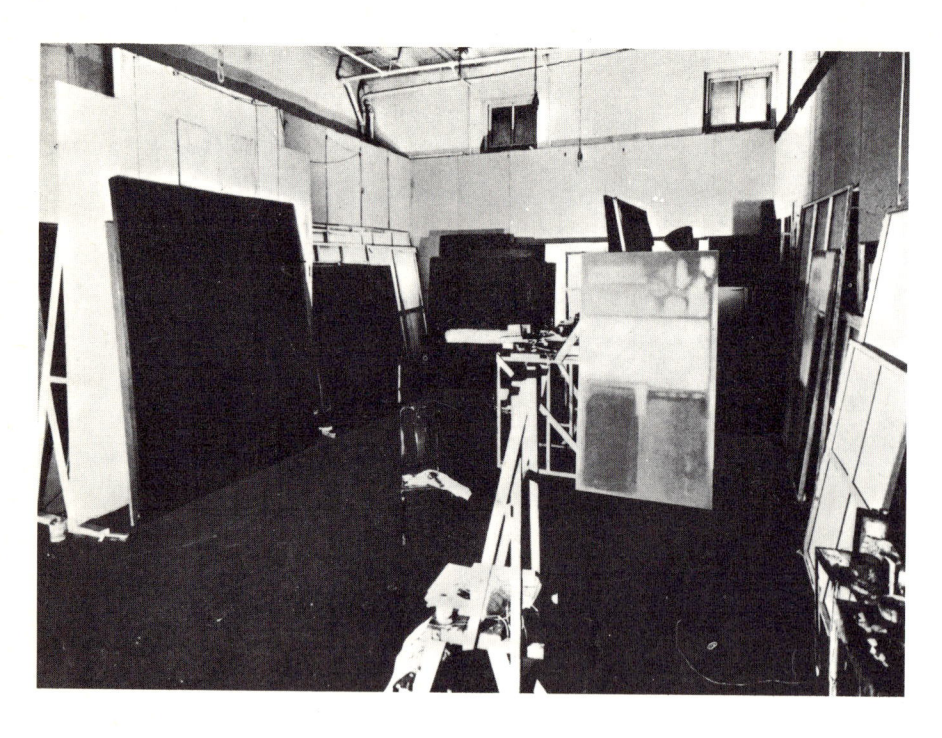

MARK ROTHKO

Nasce a Dvinsk, in Russia, il 25 settembre 1903. Nel 1913 la sua famiglia lascia la Russia per stabilirsi a Portland, nell'Oregon, dove Rothko compie gli studi. Entra alla Yale University nel 1921 e studia arte. Dopo quattro anni si stabilisce a New York, dove per un breve periodo dipinge all'Art Students League con Max Weber; poi continua da solo. Espone per la prima volta nel 1929, quando alcune sue opere vengono scelte per una mostra alla Opportunity Gallery. La prima sua personale si tiene alla Contemporary Arts Gallery nel 1933; due anni dopo partecipa alla fondazione del gruppo 'The Ten' che ha tendenze espressioniste. Molte esposizioni importanti si susseguono e, nel 1958, è presente alla XXIX Biennale di Venezia. In questo stesso anno comincia una serie di murali per una grande sala in Park Avenue a New York. Nel 1950 Rothko è in Europa e viaggia attraverso l'Inghilterra, la Francia e l'Italia; nel '59 ritornerà e visiterà anche il Belgio e l'Olanda.
Rothko ha anche insegnato alla Center Academy di Brooklyn dal 1929 al '52 e nel 1948 è cofondatore ed insegnante della scuola Subjects of the Artists.
Una sua personale è organizzata nel 1961 al Museum of Modern Art di New York, dove vive.

Fotografia dello studio di Mark Rothko, eseguita nel 1960 da Herbert Matter

Fotografia di Mark Rothko

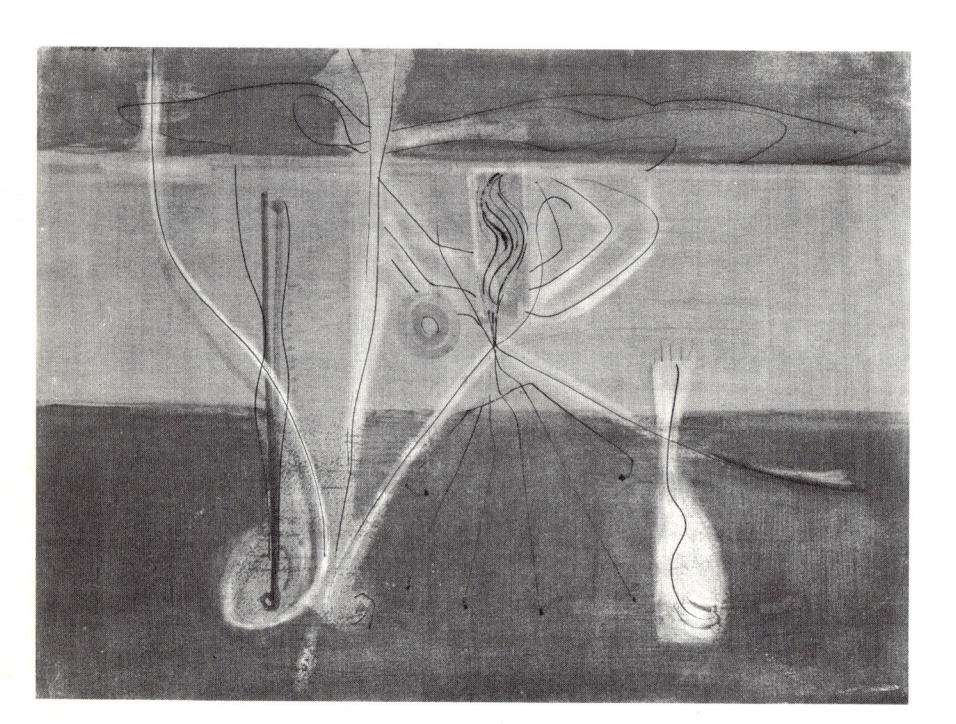

CLYFFORD STILL

Nato nel 1904 a Grandin (North Dakota), la famiglia si trasferisce prima ad Alberta in Canada e poi a Spokane (Washington).
Studia alla Spokane University conseguendo il diploma di Bachelor of Arts nel 1933; quindi insegna arte fino al 1941 al Washington State College di Pullman. Si trasferisce poi a San Francisco lavorando in industrie belliche. Nel 1944 è in Virginia, dove insegna; nel 1946 ritorna a San Francisco ed insegna alla California School of Fine Arts fino al 1950, anno in cui si trasferisce a New York all'Hunter College e al Brooklyn College.
Nella sua pittura le superfici lacerate dalle forme trovano il loro equilibrio nei contrasti violenti.

Mark Rothko: Tentacoli della memoria (1945 - acquerello) - San Francisco, Museum of Art

lo portano attraverso l'Europa e l'Oriente. Nel 1934 a Shangai segue il corso dell'artista cinese Teng Kwei imparando il ritmo e il movimento della pennellata cinese. Lasciata l'Inghilterra si stabilisce definitivamente a Seattle nel 1935 salvo soggiorni a New York e a Parigi (1954-55). Tobey tiene una grande retrospettiva nel 1951 a San Francisco nel Palazzo della Legion d'onore di California e al Whitney Museum di New York.

BRADLEY WALKER TOMLIN
Bradley Walker Tomlin nasce a Syracuse (New York) nel 1899 da una famiglia inglese e ugonotta. Nel 1921, ottenuto il diploma al College of Fine Arts alla Syracuse University, si trasferisce a New York. Vinta una borsa di studio nel '23, nel '26 è in Europa per studiare alla Académie Colarossi e alla Grande Chaumière, lavorando in Francia, Italia e Inghilterra fino al 1927, anno in cui torna a New York. Dal 1937 al 1941 insegna al Sarah

Fotografia di Bradley Walker Tomlin

Bradley Walker Tomlin: L'armatura deve cambiare (1946) - New York, Collezione Mr. e Mrs. Ben Wolf

MARK TOBEY
Nato a Centerville (Wisconsin) nel 1890. Giovane ancora, lavora a Chicago e frequenta per breve tempo l'Art Institute, ma nel complesso è autodidatta. Nel 1911, per circa dieci anni è a New York, dove ottiene le sue prime affermazioni d'artista nel 1917, con l'esposizione di una serie di disegni. Studia anche per un breve periodo con Kenneth Hayes Miller a New York.
Nel 1923 insegna alla Cornish School di Seattle. Nel 1931 si trasferisce in Inghilterra, dove esegue un dipinto murale ed inizia una serie di viaggi che

Lawrence College, Bronville, New York e pressappoco nel medesimo periodo dipinge un murale al Memorial Hospital di Syracuse. Dal 1924 tiene diverse personali alla Montrass Gallery, alla Rehn Gallery e alla Betty Parsons Gallery nel 1950. Sue opere sono all'Addison Gallery of American Art, al Brooklyn Museum, all'Academy of Art, alla Phillips Gallery di Washington, al Whitney Museum di New York.
Dopo aver dipinto per lungo tempo seguendo il Cubismo, Tomlin si orienta verso lo stile calligrafico, intorno al 1946. Si spegne nel 1953.

INDICE DELLE ILLUSTRAZIONI

Pag. 27 - Arshile Gorky: Alberi di mele (1943-46) - Collezione privata

28 - Hans Hofmann: La nascita del Toro (1945) - Guilford (Connecticut), Collezione Fred Olsen

29 - Jackson Pollock: Eyes in Heat (1946) - Venezia, Fondazione Peggy Guggenheim

30 - Jackson Pollock: Numero I (1948) - New York, The Museum of Modern Art

31 - Jackson Pollock: Pali blu (1953) - New York, Collezione Ben Heller

32 - Willem de Kooning: Angeli rosa (1945 ca.) - Beverly Hills, Collezione Mr. e Mrs. Frederick R. Weisman

33 - Willem de Kooning: Donna (1949) - Hanover (Pennsylvania), Collezione Mr. e Mrs. Boris Leavitt

34 - William Baziotes: Ciclope (1947) - Chicago, Art Institute

35 - Robert Motherwell: L'imperatore della Cina (1947) - Provincetown, Chrysler Art Museum

36 - Willem de Kooning: Lo scavo (1950) - Chicago, Art Institute, Gift of Mr. Edgar Kaufmann, Mr. and Mrs. Noah Goldowsky

37 - Willem de Kooning: Due donne in campagna (1954) - Collezione Joseph H. Hirshhorn

38 - Willem de Kooning: Bianco e nero, Roma D. (1959) - New York, Collezione Marie Christophe Thurman

39 - Franz Kline: Monitor (1956) - Milano, Collezione privata

40 - Stuart Davis: Qualcosa sulla palla 8 (1953-54) - Philadelphia, Museum of Art

41 - Mark Tobey: Sopra la terra - Chicago, Art Institute

42 - Clyfford Still: Pittura (1949) - Baltimora, Collezione Dr. e Mrs. Israel Rosen

43 - Mark Rothko: Pittura n° 26 (1947) - New York, Collezione Mrs. Betty Parsons

44 - Mark Rothko: Composizione dorata (1949) - Collezione privata

45 - Ad Reinhardt: Pittura astratta gialla (1947) - New York, Collezione Mrs. Ad Reinhardt

46 - Barnett Newman: Abisso euclideo (1946-47) - Meriden (Connecticut), Collezione Mr. e Mrs. Burton Tremaine

47 - Barnett Newman: Dionysius (1949) - New York, Collezione Annalee Newman

48 - Barnett Newman: Vir heroicus sublimis (1950-51) - New York, Collezione Ben Heller

49 - Mark Rothko: Viola e giallo su rosa (1954) - Milano, Collezione privata

50 - Adolf Gottlieb: W. (1954) - New York, The Solomon R. Guggenheim Museum

51 - Adolf Gottlieb: Terra rosa (1959) - Brescia, Collezione Cavellini

52 - Ad Reinhardt: Pittura astratta (1956) - New Haven, Yale University Art Gallery

53 - Clyfford Still: Quadro (1957) - Basilea, Kunstmuseum

54 - Sam Francis: Nero brillante (1958) - New York, The Solomon R. Guggenheim Museum

55 - Philip Guston: Duetto (1961) - New York, The Solomon R. Guggenheim Museum

56 - Joan Mitchell: Cercando un ago (1959) - Milano, Collezione privata

57 - Larry Rivers: Piove, Anita Huffington (1957) - Washington, Courtesy of National Collection of Fine Arts, Smithsonian Institute, S. C. Johnson Collection

Pag. 58 - Helen Frankenthaler: Montagne e mare (1952) - New York, Metropolitan Museum

59 - Helen Frankenthaler: La baia (1963) - Detroit, Institute of Arts

60 - Morris Louis: Colonne abbinate II (1960-61) - Washington, Collezione Mrs. Morris Louis (per gentile concessione della André Emmerich Gallery, New York)

61 - Kenneth Noland: Zona tropicale (1964) - Proprietà dell'artista

62 - Jules Olitski: Surface cause (1968) - New York, Collezione Alexis Gregory

63 - Ellsworth Kelly: Blu verde (1968) - New York, Proprietà dell'artista (per gentile concessione della Sidney Janis Gallery)

64 - Frank Stella: Marrakech (1964) - New York, Collezione Mr. e Mrs. Robert C. Scull

65 - Frank Stella: Hatra II (1968) - St. Louis, Collezione Joe Helman

66 - Josef Albers: Omaggio al quadrato (1962) - New Haven, Collezione Carrol Janis

67 - Richard Anuskiewicz: Cadmio giallo (1967) - New York, Courtesy Sidney Janis Gallery

68 - Larry Zox: Scissors Jack Series - New York, Courtesy Kornblee Gallery

69 - Larry Poons: Pittura (1968) - New York, Leo Castelli Gallery

70 - Raymond Parker: Rosa (1968) - New York, Proprietà dell'artista

71 - Robert Rauschenberg: Coprifuoco (1958) - New York, Collezione Ben Heller

72 - Robert Rauschenberg: Letto (1955) - New York, Collezione Leo Castelli

73 - Robert Rauschenberg: Tempo 3 (1961) - New York, Collezione Famiglia Harry N. Abrams

74 - Jasper Johns: Dalla finestra (1959) - New York, Collezione Mr. e Mrs. Robert C. Scull

75 - Jasper Johns: Tuffatore (1962) - Byram (Connecticut), Collezione Mrs. Vera G. List

76 - Jasper Johns: Campo (1963-64) - Proprietà dell'artista

77 - Jim Dine: Scarpa (1961) - Proprietà dell'artista

78 - Roy Lichtenstein: Ragazza che annega (1963) - Seattle (Washington), Collezione Mr. e Mrs. C. B. Wright

79 - Roy Lichtenstein: Senza titolo, paesaggio (1964) - Brescia, Collezione Cavellini

80 - Roy Lichtenstein: Grande pittura 6 (1965) - New York, Collezione Mr. e Mrs. Robert C. Scull

81 - Tom Wesselman: Vasca da bagno, collage n. 3 (1963) - Parigi, Galerie Ileana Sonnabend

82 - James Rosenquist: Pulsanti (1960-61) - Milano, Collezione privata

83 - James Rosenquist: Azione capillare I - Milano, Collezione privata

84 - Andy Warhol: Coca Cola verde (1962) - New York, Whitney Museum

85 - Robert Indiana: Serigrafia senza titolo - Collezione privata

86 - Andy Warhol: Grandi fiori (1963) - Torino, Galleria Sperone

In sopraccoperta - in alto: Jasper Johns: Tuffatore (1962 - particolare) - Byram (Connecticut), Collezione Mrs. Vera G. List - in basso: Jackson Pollock: Pali blu (1953 - particolare) - New York, Collezione Ben Heller.

BIBLIOGRAFIA

J. J. SWEENY: *Stuart Davis*, New York 1945, Museum of Modern Art

A. BRETON: *Arshile Gorky*, in « Le Surréalisme et la Peinture », New York 1945

D. MILLER: *Fourteen Americans*, New York 1946, Museum of Modern Art

D. SUTTON: *The challenge of American Art* in « Horizon » n° 118, ottobre 1949

O. LARKIN: *Art and Life in America*, New York 1949

W. GAUNT: *The March of the Modernes*, Londra 1949

A. MALRAUX: *The Psychology of Art*, 3 voll., New York 1949-50

B. MYERS: *Modern Art in the Making*, New York, Toronto, Londra 1950

R. MOTHERWELL-A. REINHARDT ed.: *Modern Artists in America*, New York 1951

E. SCHWABACHER: *Arshile Gorky*, Esposizione commemorativa, New York 1951, Whitney Museum

C. GREENBERG: *Jackson Pollock*, in « Partisan Review » pag. 102, gennaio-febbraio 1952

D. C. MILLER: *15 Americans*, New York 1952

The Jazzy Formalism of Stuart Davis, in « Art News » pag. 19-59, vol. 53, marzo 1954

J. I. H. BAUR: *The new Decade, 35 American Painters and Sculptors*, New York 1955

R. BLESH: *Modern Art, U.S.A.*, New York 1956

F. O'HARA: *Franz Kline Talking*, in « Evergreen Review » n° 6, vol. 2°, New York autunno 1958

B. H. FRIEDMAN: *Robert Rauschenberg, by David Myers*, New York 1959

C. GREENBERG: *Louis and Noland*, in « Art International » n° 5, vol. 4, Zurigo maggio 1960

W. SEITZ: *The Art of Assemblage*, New York 1961

K. SAWYER: *The Teacher and the Taught*, in « The Sun », Baltimora gennaio 1961

J. L. AHLANDER: *The Emerging Art of Washington*, in « Art International » n° 9, vol. 6, Zurigo novembre 1962

M. SEUPHOR: *Abstract Painting*, New York 1962

INDICE GENERALE

Pag. 9   Saggio critico

   25   Tavole

   87   Note biografiche sui protagonisti

   98   Indice delle illustrazioni

  100   Bibliografia

Fotografi di redazione: Piero Baguzzi, Roberto Esposito, Sandro Pagani, Romano Vada

Autorizzazione del Tribunale
di Milano n. 184 del 5 giugno 1967

Direttore responsabile: *Dino Fabbri*